ISBN 88-7751-001-3

istituto di
storia dello
spettacolo siciliano

sarah e enzo
zappulla

pirandello e il teatro siciliano

giuseppe maimone editore

Pirandello e il teatro siciliano

Ente promotore

Comune di Catania
Assessorato alla Cultura

Patrocinio

Ministero per i beni Culturali e Ambientali
Presidenza della Regione Sicilia
con il contributo del quotidiano "La Sicilia"
e della Associazione degli Industriali della provincia di Catania

Curatore della Mostra

Enzo Zappulla

Allestimento

Sergio Caruso, Nino Munzone, Eugenia Pappalardo,
Domenico Privitera, Angelo e Enzo Zappulla

Riproduzioni fotografiche

Raul Bergami, Genova; Enrico Caruso, Catania; Carmelo Catania, Roma;
Luigi Ciminaghi, Milano; Giovanni Dizia, Licodia Eubea; Nuccio Fiorito, Catania;
Angelo Pitrone, Agrigento; Orazio Russo, Catania; Oscar Savio, Roma

Progetto dell'allestimento

Sergio Caruso, Francesco Geracà, Enzo Zappulla

Realizzazione della struttura

Falegnameria comunale, Catania

Ufficio Stampa

Gabriella Congiu e Mirella Maugeri Salerno

Istituto di Storia dello Spettacolo Siciliano

Presidente, Gianni Salvia; *Presidente del comitato scientifico*, Gianvito Resta;
Direttore, Enzo Zappulla; *Tesoriere*, Giovanni Grasso; *Segretario*, Mirella Maugeri Salerno

Consiglio di Amministrazione

Corrada Adorno, Corrado Brancati, Rita Consoli, Rita Corona, Antonello Gandolfo,
Francesco Grasso, Giovanni Grasso, Agatina Macrì, Mirella Maugeri Salerno, Anna Maria Musco,
Franca Musco, Stefano Musco, Vittorio Musco, Angelo Pandolfini, Gianvito Resta, Gianni Salvia,
Elisa Spinelli, Enzo Zappulla, Sarah Zappulla Muscarà

Organizzazione generale

Camelia Boccardi, Graziella Di Grazia, Fulvio Di Gregorio, Marisa Mangiameli,
Giusy Milazzo, Francesca Scalia, Marinella Spina

Curatori del catalogo

Sarah e Enzo Zappulla

Saggio introduttivo

Sarah Zappulla Muscarà

Copertina, impaginazione e consulenza grafica

Sergio Caruso

Traduzioni in inglese

Vincent J. Cincotta e Lucia Muscarà

Traduzioni in francese

André Bouissy e Carminella Sipala

Traduzioni in tedesco

Willi Hirdt e Grazia Pulvirenti

Ringraziamenti

Settimio Biondi, *Direttore del Museo Civico di Agrigento*; Umberto Bosco, *Presidente*, Silvio Pasquazi, *Vice Presidente*, Alfredo Barbina, *Direttore dell'Istituto di Studi Pirandelliani e sul Teatro Contemporaneo di Roma*; Cesare Branchini, *Direttore della Biblioteca e raccolta teatrale del Burcardo e della S.I.A.E. di Roma*; Alessandro d'Amico, *Direttore del Civico Museo Biblioteca dell'Attore del Teatro Stabile di Genova*; Oreste Ferrari, *Direttore dell'Istituto Centrale per il catalogo e la documentazione fotografica*; Enzo Lauretta, *Direttore del Centro Nazionale di Studi Pirandelliani di Agrigento*; Anna Maria Vichi Giorgetti, *Direttore della Biblioteca Nazionale Vittorio Emanuele di Roma*; Maria Luisa e Lietta Aguirre d'Amico

Si ringraziano ancora

Maria Rosaria Gallerano e Alessandro Tinterri

Fotocomposizione

Southcomp - Catania

Saggio introduttivo di Sarah Zappulla Muscarà (Università di Catania - Italia).

«Ho io il vanto d'avere rappresentato il primo lavoro teatrale di Luigi Pirandello. Il Maestro illustre, il commediografo più noto, discusso e acclamato in tutto il mondo raccolse i suoi primi allori nel teatro per mezzo di Angelo Musco, con *Lumìe di Sicilia*, commedia in un atto, tratta dalla sua squisita novella. Poi seguirono *Pensaci, Giacomino! Il berretto a sonagli* e *Liolà*»: così Angelo Musco nella sua autobiografia [1].

All'attore catanese molti anni prima, il 31 dicembre del 1916, Nino Martoglio ricorda: «Pirandello l'ho tratto io, quasi a viva forza, a scrivere per voi» [2].

Entrambe le orgogliose attribuzioni contengono non pochi germi di verità.

Del teatro Pirandello, è noto, ha sentito il fascino fin dai verdi anni [3], ma dopo aver ricoperto a lungo il ruolo dell'"autore drammatico rifiutato', approdato alle scene, se n'è ritratto in seguito a deludenti esperienze (si pensi a *Se non così*, diventata poi *La ragione degli altri*, rappresentata con scarso successo il 19 aprile 1915, al Teatro Manzoni di Milano, dalla «Compagnia Stabile Milanese» diretta da Marco Praga, prima attrice Irma Gramatica).

La diffidenza di Pirandello verso il teatro in genere – per la «soggezione inovviabile» dell'autore all'attore, che rende «più reale e tuttavia men vero il

Luigi Pirandello

[1] Angelo Musco, *Cerca che trovi...*, prefazione di Enrico Serretta, Bologna, Cappelli, 1930 (ora, Catania, Maimone, 1987). In un articolo firmato «Angelo Musco» ed intitolato *Confessioni di attori: Io e il Prof. Pirandello*, apparso alcuni anni più tardi, il 19 maggio 1933, sulla «Gazzetta del Popolo», leggiamo: «Io lo conobbi così. Era ancora il "Prof. Luigi Pirandello". Si parlava, è vero, già molto di lui come novelliere e come romanziere; ma al teatro non s'era avvicinato ancora, e di teatro non voleva saperne. Sì, Nino Martoglio, che gli era amico carissimo e compagno d'ogni giorno, era riuscito a strappargli dal cassetto una vecchia *Morsa*, e l'aveva anche rappresentata al "Teatro Minimo" del Metastasio, dove poi lo stesso Martoglio aveva dato di Pirandello un altro atto, scritto come il primo in italiano, *Lumie di Sicilia*; ma non erano stati che degli assaggi, e l'autore del *Fu Mattia Pascal* nemmeno aveva consentito, credo, d'andare a vedere sulla scena quelle sue creature. Sono convinto d'essere stato proprio io, con Nino Martoglio e con d'Ambra, a destare in lui la passione, o – come dicono altri – il *demone* del teatro».

[2] Pirandello-Martoglio, *Carteggio inedito*, a cura di Sarah Zappulla Muscarà, Milano, Pan, 1979 (2ª edizione Catania, C.U.E.C.M., 1985). Da questo volume sono ricavate tutte le lettere fra i due commediografi, riportate in seguito.

[3] Le lettere ai familiari (Alessandro D'Amico, *Luigi Pirandello. Lettere ai familiari. Presentazione*, «Terzo Programma», Roma, n. 3, 1961) ed il saggio di Alessandro D'Amico (*Itinerario di Pirandello al teatro*, «Il Veltro», Roma, a. XII, nn. 1-2, febbraio-aprile 1968) sono ulteriori conferme delle giovanili attitudini teatrali di Pirandello.

personaggio»[4] – è maggiore nei riguardi del teatro dialettale per la difficoltà d'approccio linguistico e limitatezza di comunicazione che scaturiscono dal vernacolo, anche se ad esso lo scrittore agrigentino riconosce dignità letteraria e lo giudica insostituibile quando la natura dei sentimenti e delle immagini dello scrittore è «talmente radicata nella propria terra, di cui egli si fa voce, che gli parrebbe disadatto o incoerente un altro mezzo di comunicazione che non fosse l'espressione dialettale»[5].

«Il popolo parla in dialetto – osserva Bertolt Brecht –, del dialetto si serve per esprimere il suo intimo spirito: come potrebbero i nostri attori ritrarre il popolo e parlare ad esso senza rifarsi al loro dialetto nativo, senza accoglierne certe inflessioni nella lingua ufficiale scenica?»

Saranno le pressanti sollecitazioni dell'amico Martoglio[6], la cui vivace ed originale esperienza teatrale nel «caldo dialetto» che tanto lo «affascina» e «incatena» ha una carica fortemente stimolante per Pirandello (ma non saranno estranee, in qualche misura, le allettanti prospettive di guadagno), a convincerlo che – come dimostra lo strepitoso successo di Musco (la cui interpretazione de *Lu paraninfu* di Luigi Capuana al Teatro Filodrammatici di Milano detta a Renato Simoni un articolo entusiasta apparso sulle colonne del «Corriere della Sera» il 13 aprile 1915) – una commedia siciliana può essere gustata anche fuori dell'isola. E verso il nord è orientata l'ambizione di Martoglio e di Pirandello, così come di Grasso e di Musco, che vogliono dare al teatro siciliano dimensione nazionale.

[4] LUIGI PIRANDELLO, *Teatro e letteratura*, «Il Messaggero della Domenica», Roma, 30 luglio 1918. Ma cfr. pure: *L'azione parlata*, «Il Marzocco», Firenze, 7 maggio 1899; *Illustratori, attori e traduttori*, «Nuova Antologia», Roma, 16 gennaio 1908 (poi in *Arte e Scienza*, Roma, W. Modes Libraio Editore, 1908). Ora tutti in *Saggi, Poesie, Scritti varii*, a cura di MANLIO LO VECCHIO MUSTI, Milano, Mondadori, 1960.

E Giovanni Verga: «c'è sempre una *diminuzione* dell'opera d'arte, nel passare per un'altra interpretazione, fosse Domeneddio l'interprete» (lettera a Luigi Capuana del 24 febbraio 1888, in GINO RAYA, *Carteggio Verga-Capuana*, Roma, Edizione dell'Ateneo, 1984); «Ho scritto pel teatro, ma non lo credo certamente una forma d'arte superiore al romanzo anzi lo stimo una forma inferiore e primitiva, sopra tutto per alcune ragioni che dirò meccaniche. Due massimamente: La necessità dell'intermediario tra autore e pubblico, dell'attore; la necessità di scrivere non per un lettore ideale come avviene nel romanzo, ma per un pubblico radunato a folla così da dover pensare a una media di intelligenza e di gusto, a un *average reader*, come dicono gli inglesi» (UGO OJETTI, *Alla scoperta dei letterati*, Milano, Treves, 1895).

[5] LUIGI PIRANDELLO, *Teatro siciliano?*, «Rivista popolare di Politica, Lettere e Scienze sociali», Roma, 31 gennaio 1909 (una fino ad ora ignorata riproduzione di questo articolo apparirà, col titolo *Il teatro siciliano. Teatro dialettale o una Sicilia d'esportazione?*, in «La Sicilia. Teatri», organo dell'agenzia teatrale «La Sicilia», Palermo, maggio 1909), ora in *Saggi, Poesie, Scritti varii*, ed. cit., e *Avvertenza* a *Liolà*, Roma, Formìggini, 1917, ora in *Maschere nude*, Milano, Mondadori, 1958.

[6] Ricordando questi anni Ercole Rivalta scrive: «Allora Pirandello diceva: "Non capisco come degli scrittori di ingegno si perdano in quell'arte minore che è il teatro". Incredibile, vero? Ma garantito. Lo disse proprio a me. E Lucio d'Ambra, appestato di teatro, si agitava e fremeva per tanta bestemmia, che pareva lo solleticassero con uno spillo. Poi si persuase che dell'aver portato il Pirandello al teatro il merito fosse suo. Credo invece che il sollecitatore più efficiente e più ostinato sia stato Nino Martoglio, teatrista senza rimedio pure lui, che aveva un naso così prepotente che non poteva superarlo in grandezza che la cortesia del suo spirito. Il naso gli servì così bene che seppe fiutare un interprete di preziose doti nel puparo Giovanni Grasso e gli fece scoprire poi Angelo Musco e comporre quel teatro siciliano, cui diede opere fortunate» (*Pirandello visto da vicino*, «Il Chiosco», Catania, a. I, nn. 3-4, luglio-ottobre, 1961).

È l'inizio di un'avvincente storia tutta da ricostruire in una prospettiva più fedele e veritiera, per il tramite di documenti, testimonianze, dichiarazioni. La storia delle sollecitazioni, delle influenze, dei suggerimenti, dei rapporti fra autore ed interprete, arricchita e vivacizzata dalla presenza di un terzo collaboratore interno, l'amico e sodale Nino Martoglio, in una catena magnetica che coinvolge pubblico, critici, testate, teatri, impresari, Società Autori, nel clima da *Belle Époque* dell'*Italietta* giolittiana, durante la guerra di Libia, il primo conflitto mondiale e dopo. Mentre trionfa la musica di Puccini ed il teatro di D'Annunzio, il cinema nazionale crea le prime grandi *star* (Lyda Borelli e Francesca Bertini), la persistente crisi agricola induce decine di migliaia di lavoratori meridionali a varcare l'oceano, il socialismo intraprende nuove strade sul duplice indirizzo di Sorel e di Salvemini, il cattolicesimo sul versante sociale e progressista, si celebra il funerale del naturalismo e del simbolismo, «La Voce» e «Lacerba» costituiscono le palestre del nazionalismo corradiniano e del liberalismo crociano.

Anni intensi in cui l'esperienza teatrale in vernacolo dei due sodali Pirandello e Martoglio divampa e brucia.

Rapporti che presentano molteplici varianti e diverse tonalità, si allineano su vari titoli e su differenti date, serbando un'univoca traiettoria: un teatro dialettale non privo di decoro artistico da portare in giro non soltanto per l'isola e per la penisola e da cui ricavare consistenti utili economici.

Una lettura più «vera» non soltanto del Pirandello dialettale ma di tutta l'opera dell'agrigentino è possibile oggi in chiave poliziesca, ricacciandolo «nella prigione dei documenti e delle prove» [7], come egli ha operato coi suoi personaggi, «impostandolo» entro gli archivi del passato, per osservarlo con il cannocchiale rovesciato del dott. Fileno e per vivisezionarlo come i topini bianchi della signora Judic su cui si appuntano gli strali ironici dello stesso Pirandello [8].

Un *incipit* convenzionale della grande stagione del teatro dialettale siciliano si può indicare in quel 3 dicembre del 1902 allorché alla scalcinata compagnia di Giovanni Grasso, varcato lo stretto ed approdata col suo fragile carro di Tespi dal modesto Teatro Machiavelli di Catania al prestigioso Teatro Argentina di Roma per alcune recite di beneficenza, pro alluvionati di Modica, Stanislao Manca, dopo aver assistito alla messa in scena di *Cavalleria rusticana* di Giovanni Verga e di *Zolfara* di Giuseppe Giusti Sinopoli, su «La Tribuna» dedica un articolo entusiasta. Di lì a poco Nino Martoglio dà vita alla prima «Compagnia Drammatica Dialettale Siciliana».

Se un teatro dialettale siciliano si registra già nella seconda metà del '700 con le *vastasate*, come afferma Giuseppe Pitrè, e se l'atto ufficiale di nascita di esso è invece comunemente indicato nella prima rappresentazione, nel 1863, al Teatro S. Anna di Palermo, de *I Mafiusi di la Vicaria* di Gaspare Mosca e Giuseppe Rizzotto, è pur vero che al tempo dell'articolo di Stanislao Manca che pone all'attenzione nazionale la sconosciuta compagnia di comici siciliani («Chi sono? Da dove sono venuti? Come si sono rivelati artisti tanto vigorosi e originali?»)

Marinella Bragaglia e Giovanni Grasso in *Zolfara* di Giuseppe Giusti Sinopoli

[7] Giovanni Macchia, *Pirandello o la stanza della tortura*, Milano, Mondadori, 1981.

[8] Cfr. al riguardo: Sarah Zappulla Muscarà, *Pirandello in guanti gialli*, Caltanissetta-Roma, Sciascia, 1983.

non esiste un repertorio – circolano solo pochi canovacci drammatico-passionali – non esiste un valido ed organico *cast* di interpreti.

Scopritore e valorizzatore di talenti – Giovanni Grasso *sr.* e *jr.*, Angelo Musco, Mimì Aguglia, Carmelina Tria, Marinella Bragaglia, Turi Pandolfini, Virginia e Carolina Balistrieri, Tommaso Marcellini, Iole e Vittorina Campagna, Rocco Spadaro, Eugenio Colombo, Rosina Anselmi e numerosi altri attori devono a lui tanta parte della loro fortuna – Nino Martoglio, con la sua straordinaria *verve*, svolge una preziosa attività culturale, non soltanto coinvolgendo nella sua avventura teatrale scrittori della statura di Giovanni Verga, Luigi Capuana, Federico De Roberto, già illustri, e Luigi Pirandello, Pier Maria Rosso di San Secondo, dei quali intuisce le non comuni doti di commediografi, per non parlare degli innumerevoli autori minori e minimi, ma anche entrando personalmente nell'agòne drammatico e dando così l'avvio ad una fortunata produzione che, attingendo a piene mani al giocoso versante poetico e giornalistico, sarebbe stata fin troppo fertile.

Presto anche autori non siciliani ambirono d'essere rappresentati da Giovanni Grasso e Angelo Musco e dai loro valorosi compagni d'arte: Gabriele d'Annunzio, Roberto Bracco, Fausto Maria Martini, Dario Niccodemi, Sabatino Lopez, Alessandro Varaldo ed altri.

Un solo esempio significativo. Dopo aver assistito alla rappresentazione della prima «Compagnia Drammatica Dialettale Siciliana» che debutta al Teatro Manzoni di Milano il 16 aprile 1903 con *Zolfara* di Giuseppe Giusti Sinopoli, inaugurando una lunga serie di successi, Gabriele d'Annunzio così scrive a Nino Martoglio: «invidio agli scrittori siciliani uno strumento d'arte meraviglioso qual è Giovanni Grasso, e mi rammarico di non poterlo adoperare e d'essere costretto a reprimere il mio lungo desiderio di tentare la tragedia agreste. Ieri sera, nella profonda commozione che mi travagliava, fui anche morso dalla nostalgia della mia vecchia terra d'Abruzzo».

Mimì Aguglia
in *La figlia di Iorio* di Gabriele d'Annunzio

È il primo seme de *La figlia di Iorio* che, messa in scena al Teatro Lirico di Milano il 2 marzo 1904 dalla «Compagnia Talli-Gramatica-Calabresi», viene per espresso desiderio del vate abruzzese tradotta in siciliano dal giovane Giuseppe Antonio Borgese per essere recitata dal «grande e candido Giovanni Grasso e dai suoi compagni d'arte, in cui si esprime con tanta potenza l'anima originale della stirpe» e tempestivamente rappresentata con esito felice al Teatro Costanzi di Roma, il 17 settembre dello stesso anno.

Alla «Compagnia Drammatica Siciliana Martoglio-Marcellini», la terza in ordine di tempo, Pirandello si impegna già dal 1° agosto 1907 a consegnare due commedie in dialetto *'U flautu* e *Giustizia* [9] e ogni suo futuro lavoro, facilitando quanto più gli sarà dato la «patriottica iniziativa d'arte con condizioni che saranno stabilite caso per caso» [10].

La 'resa' pirandelliana al dialetto è spontanea e convinta ma non senza

[9] Le commedie, di cui non si ha altra notizia, non furono poi rappresentate, nonostante fossero state annunziate (cfr. «La scena di prosa», Milano, 31 ottobre 1907 e «La Sicile illustrèe», Palermo, a. VI, n. 1, gennaio 1908).

[10] Cfr. al riguardo: ENZO ZAPPULLA, *Nino Martoglio capocomico*, «Otto/Novecento», Varese, a. VII, n. 6, gennaio-febbraio 1984 (ora Catania, C.U.E.C.M., 1985).

condizioni, un ambiguo rapporto di amore-odio, di «entusiasmo-ribrezzo» lo legherà sempre al vernacolo e ad attori tanto genuini ma pure tanto infedeli.

Ciò malgrado, della «fitta e gloriosa vicenda 'dialettale'» [11] che attraversa la storia siciliana l'agrigentino è esponente non trascurabile.

Nel 1910 Pirandello dà a Martoglio, per il suo «Teatro Minimo o a sezioni», due atti unici, *La morsa* e *Lumìe di Sicilia* (messi in scena il 19 dicembre al Teatro Metastasio di Roma nell'interpretazione di Vitti e Zambuto).

Quest'ultimo verrà ripreso nella versione dialettale da Musco, che dal 1914 ha già una sua compagnia, al Teatro Pacini di Catania, il 1° luglio 1915.

È la prima interpretazione pirandelliana di Musco che si registri.

Questi i giudizi della stampa: un «grazioso gioiello che Pirandello ha donato al teatro siciliano e che a Musco diede agio di creare questo nuovo tipo, del *Micuccio*» [12], Musco «fa del carattere del povero Bonavino una vera creazione» [13], «una nuova, meravigliosa creazione del Musco» [14].

Anche Pirandello, scrivendo al figlio Stefano alcuni mesi dopo, definisce l'interpretazione di Musco «meravigliosa», «una creazione» [15].

Frattanto *L'aria del continente* di Martoglio, rappresentata per la prima volta dall'attore catanese al Teatro Filodrammatici di Milano, il 27 novembre 1915, ottiene uno strepitoso successo e frutta in centinaia di repliche incassi non indifferenti [16].

La commedia del continentale è scaturita dalle conversazioni dei due commediografi alla presenza dell'attore che ha recato lo stimolante apporto dei suoi «salti e scambietti avvelenati di riso» [17].

Poco dopo, il 10 marzo 1916, Pirandello da Roma scrive a Martoglio per

[11] Cfr. al riguardo: GIANVITO RESTA, *Prolusione* a *La letteratura dialettale in Italia*, a cura di PIETRO MAZZAMUTO, Palermo, Annali della Facoltà di Lettere e Filosofia dell'Università di Palermo, 1984 (Atti del Convegno tenutosi a Palermo dall'1 al 4 dicembre 1980).

[12] Cr., *Politeama Pacini. «Lumìe di Sicilia» un atto di L. Pirandello*, «Corriere di Catania», Catania, 2 luglio 1915 («Tutti con lui [Musco] cooperarono, e con fervore, alla riuscita del lavoro, la Jole, la Giulia e la Vittorina Campagna, il Colombo, e persino... perché no? persino i macchinisti – poveretti è raro il caso che ci si occupi di loro – che montarono con sfarzo la grandiosa scena»).

[13] PIPPO MARCHESE, *Politeama Pacini. «Lumìe di Sicilia»*, «Corriere di Catania», Catania, 11 luglio 1915 («È una interpretazione vera e propria che onora altamente il maggior attor comico nostro, cui Luigi Pirandello ha telegrafato, l'indomani della prima rappresentazione, parole assai lusinghiere di encomio e gratitudine»).

[14] ANONIMO, *La serata di beneficenza di Angelo Musco al Massimo*, «Corriere di Catania», Catania, 1 settembre 1915 («Lo spigliato atto di Pirandello fu applaudito con convinzione, con fanatismo anzi»).

[15] *Lettere al figlio Stefano durante la grande guerra*, «Almanacco Letterario Bompiani», Milano, 1938 (poi in «Sipario», Milano, dicembre 1952).

[16] «Mio magnifico interprete e collaboratore»: così Martoglio definisce Musco in una lettera all'attore di poco tempo dopo (Roma, 7 febbraio 1916) e «Ad Angelo Musco che ha reso *vivi* tanti personaggi creati dalla mia fantasia» dedicherà il quinto volume del suo *Teatro dialettale siciliano* che comprende *'U Riffanti* e *L'Arte di Giufà* (Catania, Giannotta, 1920).

[17] Il volume IV del *Teatro dialettale siciliano di Nino Martoglio*, che contiene *L'aria del continente* e *Voculanzìcula* (Catania, Giannotta, 1920), reca la dedica: «A Luigi Pirandello migliore tra gli amici, più alto tra gli ispiratori». Cfr. a proposito: FRANZ RAUHUT, *Chi è l'autore de «L'aria del continente» (Martoglio, Pirandello, Musco)?*, «Nuovi Quaderni del Meridione», Palermo, n. 18, aprile-giugno 1967.

annunciargli di avere portato a termine, in soli tre giorni, quella che è la prima commedia scritta appositamente per l'attore catanese: «Caro Nino, ho finito la commedia per Musco: *Pensaci, Giacomino!* Credo che sia riuscita bene. Vorrei leggertela, per avere il tuo parere»; e a distanza di soli quattro mesi: «Caro Nino, ho finito la nuova commedia per Musco, quella in due atti, *A birritta cu i ciànciani* (*Il berretto a sonagli*). Prima di spedirla a Catania, vorrei leggertela» (Roma, 14 agosto 1916); venticinque giorni dopo: «Ho finito anche *Liolà* e vorrei leggertela» (Roma, 8 settembre 1916); e ancora: «Ho bisogno di parlarti, e vorrei poi leggerti *Liolà* che intendo dare a Roma invece dell'altra commedia. Forse sarebbe bene che Musco fosse con te. Ma a ogni modo andrei io a leggere la commedia alla Compagnia (...). Altro non avrei da dirti; ma più di tutto mi preme che tu senta *Liolà*» (Roma, 4 ottobre 1916); «Mio caro Nino, speravo di vederti ieri alla prova del mio *Liolà* [18] e alla lettura di *'A giarra* (atto unico)» (Roma, 23 ottobre 1916).

«Piccolino di statura, nero in faccia come il carbone, con gran capelli ricci, svelto come un grillo, povero come il figlio primogenito della povertà» [19], la preistoria teatrale di Angelo Musco giovinetto men che quindicenne è legata alle sue assidue frequentazioni dell'*Opra 'i pupi* di don Carmelo Sapienza.

In possesso di una fresca voce di tenore, di una sorprendente capacità di contraffare gesti e persone, di una innata improntitudine, Angelo, attratto in maniera irresistibile dal palcoscenico, è promosso repentinamente da spettatore di «prima fila» a «raccoglitore di cadaveri sul campo della pugna» a canzonettista.

L'esordio artistico è così narrato dallo stesso Musco: «Una sera, mentre in un intervallo l'orchestra (mandolino e chitarra) suonava una canzonetta napoletana, io passai con un salto dalla platea al palcoscenico e mi misi a cantare, ad alta voce, accompagnando il canto con certe smorfie e certe mosse che mandarono il pubblico in visibilio. Applausi a non finire, e due o tre *bis*».

Con una sconclusionata filastrocca, «'a musca» – incunabolo di innumerevoli altre creazioni –, a chiusura dello spettacolo dei pupi, il canzonettista, detto perciò *Angilu 'a musca*, passa dal piccolo teatro di via Fortino Vecchio a Catania al Teatro «Machiavelli» di Giovanni Grasso (dove l'*Opra 'i pupi* è spesso sostituita da drammi a forti tinte «in personaggi»), in un primo tempo ricoprendo ruoli drammatici mentre le parti comiche sono riservate al Grasso, da lì a Giarre e di nuovo a Catania, imitatore del macchiettista napoletano Maldacea al Teatro S. Carlino, con Santoro al Goldoni di Messina, dove le maschere del vecchio reperto-

Giovanni Grasso

[18] Dopo aver accennato all'indignazione di Pirandello alla prova generale di *Liolà* perché gli interpreti non sapevano bene le parti a memoria, Musco conclude: «E la sera, quando *Liolà* ebbe un successo magnifico, ecco Pirandello in palcoscenico, che mi abbraccia e mi bacia commosso, con lo slancio, l'affezione e la sincerità del suo schietto animo di galantuomo e di siciliano» (in *Cerca che trovi...*, ed. cit.). E vent'anni dopo, ricordando la sua amicizia col commediografo scomparso: «Sempre nel 1917 Pirandello mi diede *Liolà*. La Sicilia che canta. Tutto il sole, l'aria, l'anima della nostra Sicilia bella. Nei panni di Liolà mi sentivo come in un vestito perfetto. Alla prova generale, Pirandello, che aveva voluto seguire tutte le prove della commedia dandomi i suoi preziosi consigli, invitò un grande critico, Tom, e gli spiegò tutta la commedia, "dintra e fora". Il giorno dopo la prima rappresentazione Tom scrisse che non aveva capito niente. – E quando non capite niente statevi a casa – commentò Pirandello che non aveva peli sulla lingua» (ANGELO MUSCO, *Primi incontri con Pirandello*, «Il Popolo di Sicilia», Catania, 3 febbraio 1937).

[19] ANGELO MUSCO, *Cerca che trovi...*, ed. cit.

rio napoletano-scarpettiano *Pulcinella* e *Sciosciammocca* sono divenute in versione siciliana *Nicolino* e *Piripicchio*, poi 'buffo' con le sorelle Anselmi, Rosina e Margherita, per ritornare al Machiavelli con Grasso del cui dramma dà, a chiusura della serata, la versione in chiave farsesca.

Ma siamo ancora alla preistoria dell'attore, il salto nella storia si registra, come nei manuali scolastici, anche per l'analfabeta Musco, con l'apprendimento, a vent'anni compiuti, della scrittura (maestri il prof. Rossetti, il giornalista-commediografo Peppino Fazio, l'attore Nino Micale) e con l'approdo al continente nel dicembre del 1902. Coincide così con quello che altrove abbiamo indicato, seppure in modo convenzionale, come il momento iniziale di una stagione teatrale siciliana singolarmente felice per il concorso di varie circostanze favorevoli [20].

Proprio a Stanislao Manca, il quale all'indomani dello spettacolo che lo ha tanto stupito gli chiede notizie più dettagliate sul teatro dialettale siciliano, Martoglio scrive: «Ebbene, amico caro, esso comincia con Giovanni Grasso e i suoi modesti e bravi compagni, e comincia con *Zolfara, Cavalleria*, ecc. Di teatro dialettale propriamente detto, in Sicilia, per quanto io ne sappia (ed ho fatte molte ricerche) per quanto ne sappiano il Verga ed altri illustri competenti (che ho tutti interrogati) non esiste tradizione. Vi sono stati, fra noi, è vero, dei singoli geniali attori dialettali, che per virtù dell'arte loro han lasciato un nome quasi celebre. Vi furono, specialmente, il Colombo, famoso creatore della maschera ridanciana del *Pasquino Tataranchio* ed il Rizzotto, autore ed attore celebrato degli oramai leggendarii *Mafiusi*; ma tanto l'uno che l'altro non ebbero mai una compagnia dialettale vera e propria e, quel che più monta, non ebbero mai un *teatro dialettale*» [21].

Nè la prima «Compagnia Drammatica Dialettale Siciliana» (1903) [22] nè la seconda (1904) [23] nè la terza (1907) [24], nonostante i successi di pubblico e di critica,

Marinella Bragaglia

[20] Cfr. al riguardo il catalogo della Mostra sul teatro dialettale siciliano tra '800 e '900: *Sicilia: Dialetto e Teatro. Materiali per una storia del teatro dialettale siciliano*, a cura di SARAH ed ENZO ZAPPULLA, Edizioni del Centro nazionale di studi pirandelliani, Agrigento, 1982 (2ª ed. aggiornata, 1985).

[21] *Ibidem*.

[22] La prima «Compagnia Drammatica Dialettale Siciliana» esordisce al Teatro Manzoni di Milano il 16 aprile 1903 con *Zolfara* di Giuseppe Giusti Sinopoli. Attori: Giovanni Grasso, Angelo Musco, Marinella Bragaglia, Salvatore Lo Turco, Totò Maiorana, Nino Viscuso, Giulia Campagna, Rocco e Rosalia Spadaro, Totò e Giovanna Libassi, Carmelina Lambertini, la famiglia Balistrieri; amministratore: Vincenzo Ferraù; repertorio: *Zolfara, Nica, I civitoti in pretura, Cavalleria rusticana, Caccia al lupo, Malìa, I Mafiusi, La festa d'Adernò*. Cfr. al riguardo: NINO MARTOGLIO, *La compagnia dialettale siciliana*, «Natura ed Arte», Milano, maggio 1903; ID., *Ricordi del teatro siciliano rievocati dal suo fondatore*, «Noi e il Mondo», Roma, 1 settembre 1918. Ne «Il Marzocco» del 17 maggio 1903 Enrico Corradini scrive: «passa questa salutare barbarie siciliana nella pienezza delle sue passioni e delle sue energie (...) È questo forse il solo teatro che ci resta ancora. Precisamente: io vorrei affermare che se non il solo, il teatro siciliano è il migliore dei due che si hanno».

[23] La seconda «Compagnia Drammatica Dialettale Siciliana» esordisce al Teatro Biondo di Palermo il 2 aprile 1904. Attori: Giovanni Grasso, Mimì Aguglia, Angelo Musco, Totò Maiorana, Giulia e Angelo Campagna; amministratore: Vincenzo Ferraù; repertorio: *Terra bassa* di Guimerà, tradotta da Angelo Campagna col titolo *Feudalismo, La figlia di Iorio* di D'Annunzio, tradotta da Giuseppe Antonio Borgese, *Malìa* di Capuana, *Nica* di Martoglio, *Cavalleria rusticana* di Verga, *Zolfara* di Giusti Sinopoli, *Maruzza* di Broggi.

[24] La terza «Compagnia Drammatica Dialettale Siciliana» esordisce il 30 dicembre 1907 al Teatro

hanno vita lunga per le innumerevoli difficoltà soprattutto economiche in cui si dibattono.

Alla scarsa conoscenza del dialetto siciliano – ristretta solo a «poche espressioni caratteristiche, violente, divenute ormai di maniera» – attribuirà pochi anni dopo, nel 1909, Pirandello il fallimento dell'impresa di Martoglio, «genialissimo poeta e drammaturgo», la «terribile, meravigliosa bestialità di Giovanni Grasso» non consentendo la creazione di un teatro dialettale siciliano sibbene soltanto di «canovacci e scenarii da commedia dell'arte per le spaventose bravure del signor Grasso e della signora Aguglia» [25] ma loro non avrebbero bisogno neanche di parlare, basterebbe la mimica.

Pur rifiutando l'immagine di una Sicilia violenta o di maniera [26], Pirandello, nell'arco di anni che percorrono la sua stagione drammaturgica dialettale, ambisce d'essere messo in scena, specialmente da Musco, a cui tuttavia non manca di muovere frequenti e severi rimproveri dettati dalla coscienza artistica e dall'orgoglio feriti: di non imparare bene la parte, di preferirgli *Il ratto delle Sabine* di Franz e Paul Schönthan o *L'ultimo Naso* di Francesca Sabato Agnetta, di riservargli serate stracche alla vigilia di serate d'onore, di non replicare a lungo le sue commedie, di metterle in scena di lunedì o di martedì, di avere eccessive pretese economiche, di fare troppe concessioni agli umori peggiori del pubblico scadendo nella farsa.

Anche Martoglio dal canto suo condanna il proliferare di drammi truculenti, affermando di volere mettere in scena lavori che riflettano la ricchezza e la varietà della vita siciliana e non la rappresentino in modo unilaterale e perciò falso.

Nel 1914 Angelo Musco forma compagnia da solo, fra difficoltà ed amarezze, e va ramingo per le province italiane finché conquista il pubblico di Milano con *Lu paraninfu* di Luigi Capuana (12 aprile 1915) e poi con *L'aria del continente* di Nino Martoglio (27 novembre 1915).

Ma per mantenere il successo Musco ha bisogno di ampliare il suo repertorio,

Mimì Aguglia

Storchi di Modena con *Dal tuo al mio* di Giovanni Verga tradotto in vernacolo da Nino Martoglio. Cfr. l'intervista allo scrittore di Belpasso apparsa su «La scena di prosa» del 31 ottobre 1907 col titolo *Una nuova compagnia siciliana* e quella dello stesso tono apparsa su «La Sicile illustrèe», a. VI, n. 1, gennaio 1908. Questi gli attori: Tommaso Marcellini, Angelo Musco, Salvatore Libassi, Gregorio Calabrese, Armando Visconti, Giulio Del Re, Giuseppe Leone, Antonino La Rosa, Carmelo Truscello, Salvatore Riva, Pietro Finocchiaro, Pietro Fichera, Antonino Menichelli, Giuseppe Murabito, Vincenzo Leporini, Gregorio Armelisasso, Gaetano Saladino; le attrici: Melina Tria, Margherita Anselmi, Santuzza Fichera, Giulia Campagna-Garzes, Gesumina La Rosa, Maria Colombo, Giuseppina Colombo, Adele Colombo, Dorotea Libassi, Giovanna Murabito, Checchina Calabrese, Rosina Anselmi; il repertorio: Giovanni Verga, *Cavalleria rusticana, La Lupa, Caccia al lupo, Dal tuo al mio*; Luigi Capuana, *Malìa, Cavalier Pedagna, Buona gente, Comparatico*; Nino Martoglio, *Nica, Turbine, Il Palio, Il salto del lupo, San Giovanni Decollato, L'ultimo degli Alagona*; Luigi Pirandello, *Giustizia, Il flauto*; Ugo Fleres, *Giufà*; Filippo Marchese, *Padre Don Lucio, Santo Natale, Don Puddu*; P. M. Rosso di S. Secondo, *Padre* (sic), *Il matrimonio dell'altra sorella*; F. P. Mulé, *Santa* (sic); L. Costamagna, *L'Epilettico*; T. Monicelli e R. Forges, *Il Bivacco*; G. Saitta Micale, *Cruci, 'U dutturi*; Lucio d'Ambra, *Il quartetto*; S. Carli, *Comare Maria*; G. Fazio, *Baronati* (sic); Fratelli Quintero, *I fiori, L'amore che passa* (riduzioni dallo spagnolo); A. (sic) Accardi, *Patti nuovi*; G. Giusti Sinopoli, *Zolfara, Mastru Sinnacu, La Calandra, Moscone Nero.*

[25] Luigi Pirandello, *Teatro siciliano?*, cit.

[26] Una Sicilia «d'esportazione» e non «d'importazione», come si legge erroneamente nell'edizione mondadoriana del citato *Teatro siciliano?*, manifatturata «per il signor Grasso e la signora Aguglia».

più pressanti si fanno quindi le sollecitazioni di Martoglio all'amico Pirandello perché anch'egli scriva per l'attore catanese. Rampollano così, mentre infuria la prima guerra mondiale, una dopo l'altra, *Pensaci, Giacuminu!*, *'A birritta cu 'i ciancianeddi*, *Liolà*, *'A giarra*, composte direttamente in dialetto, tutte dell'anno cruciale 1916 – in cui perde la madre, la malattia mentale della moglie si aggrava, il figlio Stefano è fatto prigioniero – e tutte di matrice narrativa. «Non potevo più limitarmi a raccontare», scrive lo stesso Pirandello, «mentre tutto intorno a me era azione (...) Le parole non potevano più restare scritte sulla carta, bisognava che scoppiassero nell'aria, dette o gridate».

Ed in questo passaggio, che ritenuto provvisorio si rivelerà definitivo, dalla letteratura di tavolino alla creazione viva in e per il palcoscenico, decisivo è l'impatto con una forza della natura come Musco [27].

Momento fondamentale, per certi aspetti unico nell'*iter* pirandelliano, una nuova e feconda stagione che trae linfa vitale dal sodalizio con Martoglio. Nella simbiosi artistica che l'assidua frequentazione di questi anni favorisce, qualche rivolo della fresca vena giocosa martogliana – certamente preminente anche se talora cede il passo a toni drammatici – sarà fluito nella corrosiva e beffarda, angosciosamente paradossale, tematica pirandelliana.

Ne fa fede la briosa commedia in un atto del 1914 *Annata ricca, massaru cuntentu* (in due atti nella stesura del 1921). Sullo sfondo della campagna siciliana, in un settembre caldo e sensuale, tra il forte odore dell'uva pigiata e i canti dei vendemmiatori, si intrecciano i fili di appassionati *flirts* mentre massaru Michelangilu, già avanti negli anni, sposo di Grazia, una donna molto più giovane di lui, e padre di Pina, vivace e intraprendente ragazza, riesce ad allontanare dalla moglie Marianu, l'amante, il quale si rifà con Pina, senza che il padre se ne avveda. Un giocondo vitalismo, una sensualità panica di cui Pirandello si sarà ricordato per il suo *Liolà*: «*Liolà* è una gioja d'arte, e son certo – scrive a Martoglio con singolare preveggenza il 29 gennaio 1917 – che io non riuscirò mai a far nulla di più giocondo». Quanto a Musco «gli sta a capello» (Roma, 10 febbraio 1917).

Ciascuno a suo modo, i due commediografi traggono dal fertile *humus* della loro terra l'ispirazione più genuina, l'afflato lirico che anima la loro prosa, la freschezza e gaiezza della rappresentazione, e trovano nella duttilità istintiva di Angelo Musco, dalla comicità tra grottesca e buffonesca, l'interprete più idoneo, anche se troppo proclive alla scapigliatura farsaiola e ai lazzi o facile improvvisatore di corrivi gesti e *gags*.

È l'ironia buffa e tragica che, fortemente esasperata, ritroviamo nel Pirandello in lingua. Infatti è nota la tenacia creativa con cui egli modella la sua materia, sicché temi, motivi, personaggi, stilemi fluiscono da un testo all'altro, uguali e

[27] Scrive Vito Mar Nicolosi: «Capuana, Martoglio e Pirandello furono così i primi scrittori che sentirono, dalla presenza di Musco, la necessità di scrivere per il teatro. Più tardi, Pirandello si rivolse, com'era logico, agli attori italiani e fu ambito dagli attori di tutto il mondo, tuttavia, il fondamento della sua tecnica, quell'essere loico e gesticolante nel parlare, e soprattutto – quel che più conta – lo stesso spirito della sua arte sono da rintracciare nella sua origine siciliana, in quel voler sapere, tipico dei siciliani, "che cosa ci sia sotto a quel che si dice", in quel non accontentarsi delle apparenze o – che è lo stesso – in quel lasciarsi sopraffare dalle apparenze» (in *Angelo Musco*, «Il giornale del Mezzogiorno», 6 ottobre 1947).

diversi insieme entro un gioco combinatorio di invarianti e di varianti straordinariamente affascinante.

Nell'amico l'agrigentino ha un'assoluta fiducia: «Dei miei lavori tu, caro Nino, puoi disporre tal quale come se fossero tuoi: darli, ritirarli, sospenderli, riprenderli senza darmene avviso: basterà che mi si dica: "Nino ha disposto così". Tengo, insomma, caro Nino, a riaffermarti che per me vige in tutto e per tutto il patto fraterno stabilito fra noi, a cui non verrò mai meno» (Roma, 23 ottobre 1916); Martoglio dal canto suo ribadisce ripetutamente l'affettuoso sodalizio che lo lega all'agrigentino perciò a Musco che, tolto dal cartellone *Pensaci, Giacuminu!*, dopo un successo a Milano, lo sostituisce con *San Giovanni Decollato*, irato scrive: «... avete voluto dare un *San Giovanni* per farmi piacere?... Peggio, perché mi avreste fatto un piacere dando un dispiacere e commettendo un'ingiustizia a Pirandello. Anzi questa sarebbe una più perfida azione perché, ove non fossimo come due fratelli e ove la stima reciproca non fosse ben salda, potrebbe provocare un principio di dissidio tra noi due. Questo non avverrà *mai*, credetelo» (Roma, 31 dicembre 1916).

Una collaborazione basata sulla lealtà e sulla schiettezza che non esclude, pertanto, giudizi negativi, come nel caso di *L'arte di Giufà* (da Pirandello ritenuta priva di «consistenza artistica», ma dei cui limiti è consapevole lo stesso Martoglio che la definisce *bizzarria comica* e vuole che Musco la metta in scena soltanto in teatri periferici), contrasti d'opinione, ed insieme indicazioni e suggerimenti, come a proposito di *Sua Eccellenza* (così «la commedia acquisterà subito un rilievo e una consistenza perfetta: tutto apparirà più fuso, anzi compatto»).

Molteplici inoltre nel carteggio intercorso fra i due commediografi le testimonianze dell'attenzione sempre vigile di Pirandello alle sfumature e ai particolari anche minimi del dialetto, della messa in scena, del trucco, dei gesti, dei movimenti dell'attore, nella convinzione che tutto contribuisce a esplicitare la verità di cui i personaggi sono portatori, del lento ma sicuro maturare di tecniche e sintassi sceniche, del desiderio di leggere egli stesso i suoi lavori agli attori e all'amico Martoglio, esperto conoscitore dei meccanismi teatrali, il cui giudizio, ripetutamente sollecitato, gli sta a cuore.

A Martoglio e a Musco Pirandello lascia libera facoltà di apportare durante le prove quelle modifiche che risultassero «come volute dall'opera d'arte stessa messa alla prova della sua propria vita». Ne *'A birritta cu 'i ciancianeddi* l'attore potrà così «far valere anche altrove quel gesto caratteristico delle tre zone. Ma, per carità! che non ne abusi!» (Roma, 8 febbraio 1917) e ancora: «felicissima mi par la trovata *delle tre zone*, di cui egli [Musco], anche in altri punti non segnati nel lavoro, può trar partito ma *purché non ne abusi*!» (Roma, 10 febbraio 1917).

Quello che l'autore chiede all'attore non è una meccanica fedeltà ma «lo fren dell'arte».

Alla fiducia nelle capacità interpretative di Musco [28] («Tutto sta che Musco trovi subito *la linea grottesca* del tipo che è certamente caratteristico e, nel suo fondo, arcipieno di tragica umanità») si affianca il timore che l'attore perda la misura scenica e si abbandoni alla farsa (irato all'amico in questi stessi giorni

Luigi Pirandello

[28] All'attore l'agrigentino dona una sua foto con la dedica autografa: «Al grande artista Angelo Musco con fraterno affetto Luigi Pirandello».

scrive: «L'arte s'è divorziata per sempre da lui. La sua moglie legittima e naturale è la Farsa. Non gli resta che di foggiarsi e appiccicarsi il nome d'una maschera, come Scarpetta. Questi, *Sciosciammocca*, e lui *Sciosciainculo*» (Roma, 10 febbraio 1917).

Il carteggio Pirandello-Martoglio sfata così insistiti *topoi*, come quello che, sulla base anche delle sue stesse dichiarazioni teoriche, vuole l'agrigentino per nulla influenzato dagli interpreti e rigidamente legato all'esigenza di rispetto assoluto del testo.

Scene a soggetto «vivaci» (o «vivacissime»), «di movimento» sono sparse qua e là nella commedia dei due sodali in tre atti con le maschere *Cappiddazzu paga tuttu*.

Nel saggio *Illustratori, attori e traduttori* Pirandello condanna gli autori di teatro che scrivono per un attore, pur riconoscendo che «obbediscono a una triste necessità dell'arte loro». Le opere che ne scaturiscono, suggerite dalla «virtuosità» di questo o quell'attore, sono «schiave e non d'arte, perché l'arte ha bisogno imprescindibile della sua libertà» [29].

Libertà e creatività che l'autore di *Questa sera si recita a soggetto* e dei *Sei personaggi in cerca d'autore*, affascinato e respinto insieme dalla suggestione di un testo che sia una sorta di canovaccio da Commedia dell'Arte, non nega totalmente all'attore-artista fino a giungere nella *Sagra del Signore della Nave* all'inserimento, seppure moderato, di scene a soggetto.

Pirandello autore e regista, infatti, anche nei riguardi di altri interpreti – Ruggero Ruggeri, Marta Abba – non è insensibile all'apporto dell'attore alla stesura definitiva di un testo teatrale, messo alla «prova della sua propria vita», il palcoscenico.

«Non ho neanche fatto troppi sforzi – scriverà Pirandello *in limine vitae* chiedendosi se non sia da attribuire alla supremazia data al regista la diminuzione dei nostri grandi attori –, nell'esercizio del mio mestiere di *metteur en scène* per accostare il più possibile l'attore al personaggio ch'egli rappresentava, per costringerlo a dimenticarsi, a fondersi col suo personaggio. Dovetti accorgermi che vi sono, per tutti gli attori, dei momenti privilegiati (più o meno frequenti, a seconda della loro sensibilità di artisti) durante i quali essi diventano il personaggio. Essi continuano a parlare secondo il testo stabilito dall'autore, ma è come se lo creassero essi spontaneamente e si ha la precisa impressione che una battuta improvvisata non li metterebbe in imbarazzo, che essi potrebbero seguitare, almeno per un certo tempo, a parlare spontaneamente senza tradire la loro "parte": tanto vi si sono immedesimati» [30].

Ciò non toglie che il carteggio sia costellato di continue polemiche e controversie scaturite dalle infedeltà alle opere e agli autori dell'irrefrenabile attore.

«E pensare che certa gente come Saponaro o Lucio d'Ambra andava già sussurrando che Pirandello scriveva le sue commedie appositamente per Musco! C'è da essere ingenui o in mala fede: è il dilemma. Nell'esaltazione di Angelo Musco ci sono gli uni e gli altri. In mala fede sono molti critici teatrali noti od

[29] LUIGI PIRANDELLO, *Illustratori, attori e traduttori*, cit.

[30] LUIGI PIRANDELLO, *Le mie idee sul teatro*, «Illustrazione del Popolo», Torino, 16-22 giugno 1936.

anonimi che hanno gonfiato il buffone siciliano perché ci avevano il loro bravo interesse» [31], così scrive Piero Gobetti qualche tempo dopo con tono eccessivamente polemico nei riguardi dell'attore catanese, di cui coglie soltanto la nota ludica, claunesca, macchiettistica, e di quei critici-commediografi che sono o potrebbero essere autori di Musco.

«Non vorrei che il Simoni m'impegnasse per l'avvenire, nel senso che mi facesse obbligo di scrivere per Musco una o due commedie l'anno. Non gliene scrivo più» dichiara Pirandello a Martoglio il 29 gennaio 1917 e alcuni mesi prima, il 14 agosto 1916, Martoglio a De Roberto: «il Pirandello, da me indotto a scrivere per il Musco, dopo il successo della sua *Pensaci, Giacomino!* si accinge a scrivere per il celebre attore altre due commedie, una delle quali sarà pronta a ottobre e si darà all'Argentina. Ed io penso che voi potreste accingervi pure a scrivere una commedia per la nuova, degna e valida compagnia siciliana. Sarebbe una fortuna per il Musco e un vero onore per me e il Pirandello».

Richiesta rivelatrice di un'epoca che annovera scrittori, non esclusi gli insigni, le cui commedie sono spesso abiti cuciti addosso ai maggiori attori del momento, le lettere di Martoglio presuppongono un Musco interprete ideale di personaggi che egli avrebbe piegato alla propria indole o addirittura rimodellato secondo gli estri suoi propri per un istinto sopraffattore di geniale improvvisatore in una stagione teatrale che favorisce attori del suo stampo (si pensi a Petrolini).

Alcuni secoli prima William Congreve scrive che «compito del poeta comico è di rappresentare i vizi e le follie del genere umano» e Horace Walpole afferma che «il mondo è una commedia per chi pensa, una tragedia per chi sente». Anch'egli colpito da «i vizi e le follie del genere umano», Pirandello li trasferisce dalle novelle alle scene dialettali sentendone tutta l'universale, atemporale malinconia, ed aprendo, per il tramite di Musco colto nei suoi momenti di incontenibile ilarità o drammaticità, lo spioncino della porta del nostro inconscio. Uno squarcio sui labirinti dell'antro della bestia.

E Musco attore pirandelliano ci appare nel chiaroscuro delle sue straordinarie doti interpretative ed insieme delle sue parimenti ricche contraddizioni.

Attore «a tutto tondo» (per usare un'espressione di Ermete Zacconi), in possesso di versatili qualità fisiche, mimiche, vocali e immaginative che gli consentono di passare senza soluzione di continuità dal comico al grottesco, dal drammatico al brillante, dal giocoso al tragico, egli conquista – nei lavori in cui raggiunge gli esiti più felici resistendo alle tentazioni dei lazzi, delle *gags*, della farsa – il pubblico di tutto il mondo e la sua fama non perde con il passare del tempo lo smalto, rappresentando per molti il 'bordo' più resistente delle giovanili memorie teatrali.

Nino Martoglio

[31] P. G. [Piero Gobetti], *Pirandello e il buffone Angelo Musco*, «Energie Nove», Torino, serie I, n. 3, 1-15 dicembre 1918.

Alcuni anni dopo a proposito di Musco-*Liolà* Piero Gobetti scrive: «L'interpretazione di Angelo Musco è perfettamente adeguata alla ricchezza festosa del mito pirandelliano. Costretto dalla grandezza dell'opera a moderarsi, a limitarsi, Angelo Musco rinuncia all'esuberante banalità dei suoi pezzi di bravura e crea una figura di eroismo fantastico completa e quasi interamente priva di spunti veristici. È il più bell'esempio, e forse l'unico, di interpretazione vera e propria, in cui Musco sa raggiungere la dignità dell'arte, ottenendo anche dalla compagnia una serena e schietta moderazione». (BARETTI GIUSEPPE [Piero Gobetti], *Liolà*, «L'Ordine Nuovo», Torino, a. II, n. 115, 26 aprile 1922).

Per quella comicità percorsa da una corda drammatica e drammaticità screziata di comico, in lui Luigi Pirandello trova l'attore più idoneo a dare vita a quel «sentimento del contrario» in cui fa consistere l'umorismo. In questo artefice del grottesco c'è un singolare rapporto di ambivalenza, di antitesi-adeguamento ai simboli e agli stereotipi della comunicazione: sulla scena egli si trova in continua distonia col mondo, eppure ne persegue accanitamente i segni, ne utilizza, magari alla rovescia, gli strumenti.

Si limita la duttilità e ricchezza interpretativa di Angelo Musco, il divo di un pubblico singolarmente misto – aristocratici, politici, intellettuali, piccolo-borghesi, popolani –, scorgendo in lui soltanto il comico (peggio il buffone come fa Gobetti), folcloristicamente colorito, incapace di far ridere senza spagliacciare.

Interprete drammatico di singolare potenza – in *Nica*, *Scuru* di Nino Martoglio, *La grazia* di Renzo Martinelli, *'U sapiti com'è* di Francesca Sabato Agnetta, e soprattutto *Ridi, pagliaccio!* di Fausto Maria Martini, per ricordare solo alcuni titoli – il pirotecnico Musco, affiancato da prodigiosi mimi, trascorre con inusitata repentinità da uno stato d'animo all'altro, espressi non soltanto con la mimica facciale ma con la mobilità da marionetta di tutto il corpo, e trova nel grottesco il *modus* più autenticamente suo. Un talento teatrale che, quando si sposa con una vena poetica e umana, raffigura esiti di singolare felicità [32].

Anche l'amicizia tra il commediografo-capocomico Martoglio e l'attore da lui scoperto e valorizzato, pur alternando a periodi idilliaci stagioni turbolente, a collaborazioni fortunate violenti contrasti, ora per motivi economici ora per gli eccessi farseschi di Musco interprete, dura, come è documentato dal loro fitto carteggio, fino alla prematura scomparsa, il 15 settembre del 1921, dello scrittore di Belpasso.

Su Musco sono modellate anche la gran parte delle commedie di Martoglio, un teatro che non affronta certo la molteplicità di problemi e di grovigli della vita italiana postrisorgimentale ed il loro difficile avviamento a soluzione, la deludente realtà dell'epoca giolittiana, la scottante situazione politica, sociale, economica, dell'Italia unita che darà luogo all'avvento del fascismo, nè riflette la

[32] Scrive di lui Antonio Gramsci: «Attore d'istinto, il Musco si presenta con tutte le diseguaglianze e le impulsività di un uomo ricco di vita interiore, che in ogni interpretazione erompe selvaggiamente in manifestazioni di una plasticità sorprendente. È vita ingenua, sincera che trova nel movimento plastico l'espressione più adeguata. Il teatro ritorna alle sue originarie scaturigini: l'attore è veramente interprete ricreatore dell'opera d'arte; questa si confonde col suo spirito, si compone nei suoi elementi primordiali e si ricompone in una sintesi di movimenti, di danza elementare, di atteggiamento plastico; perde della sua letteratura verbale e ritorna vita fisica, vita di espressione integrale: tutto il corpo diventa lingua, tutto il corpo parla. Certo l'essere dialettale, l'adagiarsi nelle manifestazioni umane più vicine all'originarietà umana, danno questo carattere specifico al teatro siciliano, danno tutte queste possibilità espressive ad Angelo Musco». (in *Angelo Musco*, «Avanti!», Torino, 29 marzo 1918; ora in *Letteratura e vita nazionale*, Torino, Einaudi, 1954). E Silvio d'Amico: «Imitatore d'un'evidenza che addentrandosi nella realtà ne coglie l'essenza con un tal vigore da sublimarla nelle più violente deformazioni, Musco dal suo istinto è fatto poeta, in innumerevoli momenti delle innumerevoli commedie e commediole che gli capitano sotto mano, quasi sempre pretesti e soltanto pretesti al suo estro quotidiano. Ma quando, umorista vero, attraverso le note della farsa, egli attinge la tragedia, il pubblico grosso può ben continuare a ridere: l'intelligenza trema» (in *Tramonto del grande attore*, Milano, Mondadori, 1929).

vivacità della Catania defeliciana. Prevale in esso, in genere, una esuberante *vis* comica dispersa in gustosi personaggi popolari dallo scilinguagnolo infarcito di spropositi linguistici, in spassose trovate fini a se stesse, in virtuosismi scenici e verbali, che, quando è concentrata e misurata, dà vita non effimera ai giocondissimi Mastru Austinu Miciaciu, epicamente buffo, e Don Cola Dusciu, grottescamente spregiudicato. L'ironia si fa in loro sberleffo custodendo nel fondo una lieve patina di tristezza (com'era nell'ambiguità di Musco).

Costruiti sull'interprete da lui privilegiato, i lavori del belpassese – *I civitoti in pretura, San Giovanni Decollato, Voculanzicula, Capitan Seniu, L'aria del continente, 'U Riffanti, L'arte di Giufà, Scuru, Sua Eccellenza, Il Marchese di Ruvolito*, per ricordare i titoli più noti – risentono dell'esigenza di creare tipi che diano all'attore, dotato di singolari capacità mimiche ed interpretative, gli spunti per sprigionarle.

Se Pirandello costituisce senza alcun dubbio l'autore di maggior prestigio e Martoglio quello di maggior successo del repertorio non soltanto di Musco ma pure di Grasso, Marcellini e dei valorosi loro compagni d'arte, non mancano, come abbiamo visto, altre autorevoli firme.

Isolani e no, taluni minori (e talora minimi), numerosi autori, oltre ai già ricordati, grazie agli attori siciliani hanno goduto un successo più o meno effimero, a seconda dei casi. Ne diamo un elenco, volutamente incompleto, in alfabetica teoria: Carlo Arniches y Barrera, Attilio Barbiera, Adelaide Bernardini Capuana, Alfio Berretta, Carlo Broggi, Cipriano Campanozzi, Orazio Caruso Scordo, Giovanni Alfredo Cesareo, Pietro Guido Cesareo, Giovanni Maria Comandè, Giovanni Cormagi, Raffaele Cosentino, Gaetano Cristaldi Gambino, Augusto de Benedetti, Francesco De Felice, Alessio Di Giovanni, Maria Ermolli de Flaviis, Giuseppe Fazio, Nicola Feola di Valcorona, Francesco Fichera, Saverio Fiducia, Giovanni Formisano, Mario Fulchignoni, Alfredo Giannini, Giuseppe Giusti Sinopoli, Francesco Lanza, Orazio La Rosa, Francesco Macaluso, Giuseppe Macrì, Gesualdo Manzella Frontini, Pippo Marchese, Renzo Martinelli, Mario Morais, Gaspare Mosca, Alfredo Moscariello, Orazio Motta Tornabene, Francesco Paolo Mulè, Vito Mar Nicolosi, Amleto Palermi, Giuseppe Patanè, Federico Petriccione, Guglielmo Policastro, Gaetano Polver, Eligio Possenti, Ottavio Profeta, Vanni Pucci, Pietro Rampolla del Tindaro, Attilio Rapisarda, Carmelo Ripellino, Giuseppe Rizzotto, Gino Rocca, Giuseppe Romualdi, Antonino Russo Giusti, Francesca Sabato Agnetta, Giuseppe Sapienza, Santi Savarino, Franz e Paul Schönthan, Gaetano Sclafani, Achille Serra, Enrico Serretta, Giuseppe Simili, Gino Spadaro, Filippo Sùrico, Vandregisilo Tocci, Alessandro Varaldo, Italo Vitaliano, Alfredo Zuanino, Nino Zuccarello.

Ma torniamo a Pirandello.

La produzione dialettale dell'agrigentino registra ancora nel 1917 *'A patenti*, nella prima stesura, contrariamente a quanto si è soliti ritenere, in vernacolo [33], e la traduzione de *La morsa*, nel 1918 de *Il Ciclope* di Euripide, nel 1919 del *Glauco* di Ercole Luigi Morselli ed infine, nel 1921, di *Tutto per bene.*

Un rapporto difficile quello di Pirandello con il teatro siciliano, che segue,

Luigi Pirandello

[33] Cfr. al riguardo: LUIGI PIRANDELLO, *'A patenti*, a cura di SARAH ZAPPULLA MUSCARÀ, in «Teatro Archivio», Genova, n. 9, gennaio 1985.

dopo un avvìo 'contro voglia', un itinerario fatto di entusiasmi e di successi ma anche di amarezze e indignazioni.

«Il teatro siciliano per me è finito. Se qualche altra cosa mi avverrà di scrivere per le scene, la scriverò in italiano»: così Pirandello, irato per le «appendici farsesche» di Musco ai suoi «lavori d'arte», a Martoglio da Firenze il 10 settembre 1917. Ma il proposito non è mantenuto e la collaborazione con l'amico approda alle commedie scritte a quattro mani *'A vilanza* [34] e *Cappiddazzu paga tuttu* [35] in cui, se non è facile discriminare l'apporto dell'uno e dell'altro scrittore, è dato cogliere, in pari misura, l'abilità tecnica martogliana e la dialettica razionalità pirandelliana (del belpassese la sceneggiatura, dell'agrigentino la trama a giudizio dei critici contemporanei).

«È innegabile, caro Musco, che se tu hai dato al repertorio martogliano tutta la carne della tua carne, e hai in esso creato delle creature che non morranno, scolpendo tipi che sembrano tratti dal blocco di marmo, è innegabile, diciamo, che questo marmo ti è stato fornito dall'autore. Egli ha intuito quello che tu potevi trarre dalla materia che egli ti forniva, e tu hai acquistato con essa la fortuna e la gloria. Questo nessuno può negare e tu stesso ne hai la convinzione più profonda; è stata questa intima collaborazione tra autore e interprete, ciò che ha reso solidamente piantato il Teatro Siciliano»: così scrivono Paradossi e Praga, il 13 agosto 1918, all'attore catanese a proposito di un'aspra contesa per diritti d'autore tra Martoglio, sostenuto da Pirandello, da una parte, e Musco dall'altra.

La polemica, acuita dalle predilezioni dell'attore catanese per taluni testi (dovute, scrive Lopez a Martoglio, alla «debolezza per la donna»: Francesca Sabato Agnetta, ma imputabili pure, oltre che alle numerose pressioni da varie parti, agli organizzatori teatrali che preferiscono – ed impongono –, perché di più facile presa sul pubblico, un Musco suscitatore di risate ad un Musco interprete di più impegnativi lavori), induce Martoglio a dar vita nel 1919 ad una nuova, l'ultima, iniziativa teatrale: la «Compagnia Drammatica del Teatro Mediterraneo condotta e diretta da Nino Martoglio», comitato artistico Martoglio, Pirandello,

[34] La prima del dramma in tre atti *'A vilanza* ha luogo al Teatro Olympia di Palermo il 27 agosto 1917, «Compagnia Tommaso Marcellini» (e non al Teatro Argentina di Roma, l'8 settembre 1917, «Compagnia Giovanni Grasso *junior*», com'è riportato nelle bibliografie di entrambi i commediografi e come scrive lo stesso Martoglio nelle note biografiche autografe per Pirandello). Attori: *Saru Mazza*: Tommaso Marcellini; *Anna*: Carmelina Tria; *Orazio Pardu*: Nino Zuccarello; *Ninfa*: Nedda Quartarone; *donna Rachela*: Ida Colombo.

[35] La commedia in tre atti *Cappiddazzu paga tuttu* è messa in scena al Palazzo Corvaja di Taormina dalla «Compagnia del Teatro Mediterraneo» diretta da Giovanni Cutrufelli, l'8 marzo 1958. Attori: Rosina Anselmi, Eugenio Colombo, Giovanni Cutrufelli ed altri. Alcuni anni fa, il 31 luglio 1978, durante la VI settimana pirandelliana, la commedia *Cappiddazzu paga tuttu* è stata rappresentata, nel piazzale Caos, dal Piccolo Teatro Pirandelliano di Agrigento, regia di Enzo Alessi. Attori: Pippo Montalbano, Bertino Parisi, Rita Carrelli, Lia Rocco, Virginia Bellomo, Lillo Badalamenti, Dony Cinque, Paolo Colajanni, Gero Bosco, Tonina Ranpello, Pino Francavilla. La commedia è stata riproposta, il 27 luglio 1983, durante l'XI settimana pirandelliana, regia di Gianni Salvo. Attori: Pippo Montalbano, Virginia Bellomo, Lia Rocco, Silvana Carrubba, Lillo Badalamenti, Alfonso Tarallo, Paolo Colajanni, Francesco Bellomo, Nino Seviroli. Fra le carte di Pirandello è stato ritrovato un manoscritto dei primi due atti della commedia, in una stesura diversa, che ha visto la luce, con un'*Avvertenza* di Giovanni Calendoli, in *Pirandello ieri e oggi*, Quaderni del Piccolo Teatro, n. 1, a cura di ALESSANDRO D'AMICO, Milano, 1961.

Rosso di San Secondo, amministratore Domenico Paternò, direttore scenico Anton Giulio Bragaglia [36].

Una compagnia «di complesso» in cui elemento fondamentale è, con il dialetto, la musica.

Per essa Pirandello traduce in vernacolo siciliano due commedie, *'U Ciclopu* di Euripide [37] e *Glaucu* di Ercole Luigi Morselli [38].

La «Compagnia Drammatica del Teatro Mediterraneo», nonostante nel suo repertorio figurino opere di prestigio – dal *Ciclope* d'Euripide al *Rosario* di De Roberto, dalla *Lupa* e *Dal tuo al mio* di Verga al *Berretto a sonagli* di Pirandello, da *Per fare l'alba* di Rosso di San Secondo a *Taddarita* di Martoglio, alla ricordata *Bilancia* dei due sodali – ha vita breve e grama, per la scarsa affluenza del pubblico, per l'assenza, in una compagine d'insieme, del primo attore, per la concorrenza della Compagnia Siciliana di Musco, per l'ostilità della minoranza del Consiglio Comunale di Roma contro l'*Ars Italica*, che gestisce la Mediterranea

Angelo Musco

[36] Così rievoca questi anni Anton Giulio Bragaglia: «Egli [Pirandello] esitava a darsi alle scene e Rosso lo incoraggiava a farlo come Martoglio assiduamente lo tentava. Questi tre siciliani stavano sempre insieme. La passione teatrale di Martoglio e Rosso maturò l'interesse che Pirandello stava ricevendo per la finzione scenica: questa che come per prodigio poteva dar corpo alle immaginazioni e far essere vero persino quello che altrimenti riesce appena a sembrare. Fu dopo due anni di queste accese conversazioni, piene di progetti, che Pirandello, Martoglio e Rosso riuscirono a formare la "Compagnia del Teatro Mediterraneo" alla quale io appartenni come direttore scenico» (in *Ricordo di Pirandello*, «Il Chiosco», Catania, a. I, nn. 2-4, luglio-ottobre 1961). Su «L'intervista» di Catania del 25 maggio 1919 troviamo la scherzosa nota: «Sangiorgi. Zuppa di Martoglio alla dramatique; Omelette di Martoglio alla comique, Fricassea di Martoglio alla farsaiola; Mayonnaise di Martoglio alla tragica. Frutta di Pirandello. Dessert di Rosso di San Secondo».

[37] *'U Ciclopu* (le cui prime scene sono apparse sul «Messaggero della Domenica», il 13 novembre 1918) è messa in scena al Teatro Argentina di Roma dalla «Compagnia del Teatro Mediterraneo» diretta da Nino Martoglio, il 25 gennaio 1919, unitamente al *Rosario* di Federico De Roberto. La commedia è stata pubblicata, per iniziativa dell'Istituto di Studi Pirandelliani, con introduzione di ANTONINO PAGLIARO, Firenze, Le Monnier, 1967.

[38] La decisione di tradurre in siciliano *Glauco* per la «Compagnia del Teatro Mediterraneo» è presa di comune accordo da Pirandello e da Martoglio per aiutare l'amico Morselli che non riesce a trovare un capocomico disposto a metterlo in scena. Ma Talli, sollecitato da Martoglio, si deciderà a rappresentarlo in lingua nella primavera del 1919 al Teatro Argentina. La versione dialettale di Pirandello – contrariamente a quanto si legge nella bibliografia curata da Manlio Lo Vecchio Musti ed in tutte le bibliografie pirandelliane, «non rappresentata», – è messa in scena dalla compagnia di Giovanni Grasso *junior* nel 1921 al Teatro Giglio di Lucca (attori: Giovanni Grasso *junior*: *Glauco*; Virginia Balistrieri: *Circe*; Nino Menichelli: *Forchis*; Filippa Mengoli: *Scilla*).

Cfr. al riguardo FRANCESCO DE FELICE (*Storia del teatro siciliano*, Catania, Giannotta, 1956; ora ripubblicato, con introduzione di DOMENICO DANZUSO, bibliografia a cura di ROBERTO LANZAFAME, per i tipi della casa editrice Elefante, Catania, 1979), che però attribuisce la traduzione del *Glauco* a Martoglio, e CARLO LO PRESTI (*Sicilia teatro*, Firenze, I Centauri, 1969).

Il 5 agosto 1970 la versione pirandelliana in vernacolo è stata messa in scena al teatro greco-romano di Tindari, dalla Compagnia Stabile di prosa di Messina, con la regia di Andrea Camilleri e la direzione artistica di Turi Ferro (attori: Massimo Mollica: *Glauco*; Ida Carrara: *Circe*; Umberto Spadaro: *Forchis*). Il 12 luglio 1969 la Compagnia Stabile di prosa di Messina, al teatro greco-romano di Tindari, con la regia di Andrea Camilleri, aveva messo in scena *'U Ciclopu* (attori: Turi Ferro: *'U Ciclopu*; Massimo Mollica: *Ulissi*; Tuccio Musumeci: *Silenu*). L'1 agosto 1979, in occasione della VII settimana pirandelliana, *'U Ciclopu* è stato rappresentato dal «Piccolo Teatro Pirandelliano città di Agrigento», sempre con la regia del Camilleri (attori: Pippo Montalbano: *'U Ciclopu*; Nino Russo: *Ulissi*; Lillo Cino: *Silenu*; Enzo Alessi: *Corifeo*).

e il teatro Argentina, per l'avversione del *trust* teatrale (che controlla i 42 principali teatri d'Italia).

Il fallimento del programma d'arte della Mediterranea ed il contemporaneo passaggio di Pirandello – dopo quello di altri commediografi d'avanguardia, Rosso di San Secondo, Chiarelli, Cavacchioli, Antonelli, Berrini, Morselli, Martini – alla Società Italiana del Teatro Drammatico, gerente Paolo Giordani, non gradita a Martoglio, rimasto legato alla Società Autori e a Praga, incrinano i rapporti tra i due commediografi anche se non segnano la fine di un'amicizia di cui restano tangibili segni in epoca successiva.

Ad Angelo Musco, che intanto si è riconciliato con Martoglio, si deve pure la prima messa in scena della commedia-cerniera della produzione dialettale dell'agrigentino, *Ccu i nguanti gialli*, al Teatro Biondo di Palermo, il 9 settembre 1921 e non nel 1919, «Compagnia Marcellini», come comunemente è stato ripetuto sulla scorta dell'Enciclopedia dello Spettacolo e della bibliografia pirandelliana di Manlio Lo Vecchio Musti (quest'ultimo però: «Compagnia Marcellini, 1921»).

Unanimemente entusiasti i giudizi di tutti i cronisti dello spettacolo, replicato a Roma il 4 gennaio 1922, sull'interpretazione di Musco in un ruolo non consueto nel suo repertorio.

Come è documentato dagli epistolari e dalle cronache contemporanee, la stesura della versione in vernacolo è posteriore alla messa in scena del testo in lingua, *Tutto per bene*, nel marzo del 1920, al Teatro Quirino di Roma, da parte della «Compagnia di Ruggero Ruggeri», e ciò non è privo di significato, testimoniando un interesse per il dialetto che ancora resiste, seppure ormai in via di esaurimento, nello scrittore agrigentino già approdato, con *Così è (se vi pare)* e i *Sei personaggi in cerca d'autore*, per ricordare soltanto i titoli più noti, alla sua grande stagione drammaturgica [39].

Pochi giorni dopo il successo palermitano di *Ccu i nguanti gialli*, il 15 settembre 1921, Nino Martoglio scompare tragicamente nella tromba dell'ascensore in costruzione dell'Ospedale Vittorio Emanuele di Catania, dove si è recato a trovare il figlio Luigi Marco ricoverato.

Un ampio sipario cala sulla sua fine, ancora avvolta nel mistero, e sul teatro siciliano. «Ma non fu poeta lirico soltanto; fu anche, come si sa, commediografo acclamato, in lingua e in dialetto. Quello che non si sa, fu quanto gli costò, di amarezze, di cure, di fatiche, di spese, il teatro siciliano, che vive massimamente per lui e di lui e di cui egli fu il vero ed unico fondatore» [40]: lo scritto di Pirandello, apparso all'indomani della scomparsa di Martoglio, sigla tristemente un assiduo sodalizio, ricco, dall'una parte e dall'altra, di succosi frutti letterari che hanno avuto nell'irrefrenabile ed infedele Musco un interprete d'eccezione.

Oggi l'opera di Luigi Pirandello costituisce il fiore all'occhiello dell'attività del Teatro Stabile di Catania che, traendo linfa vitale da un passato illustre, perpetua la sicilianità della scrittura dell'agrigentino nell'interpretazione del suo più grande attore, Turi Ferro, in cui l'intensa drammaturgia della parola pirandelliana si sposa mirabilmente con la pregnante gestualità mediterranea.

Luigi Pirandello

[39] Ci sia consentito rinviare al riguardo al nostro: *Pirandello in guanti gialli*, ed. cit.

[40] Luigi Pirandello, *Nino Martoglio*, «Il Messaggero», Roma, 18-19 settembre 1921 (poi, con lievi modifiche, come prefazione, in sostituzione di quella di Luigi Capuana, nella riedizione del volume *Centona* di Martoglio, Catania, Giannotta, 1924; ora in *Saggi, Poesie, Scritti varii*, ed. cit.).

Sintesi del saggio introduttivo di Sarah Zappulla Muscarà tradotta in inglese da Vincent J. Cincotta (Università di Wollongog - Australia)

A generally accepted beginning to the great period of Sicilian dialectal theater can be found on the 3rd of December 1902 when Giovanni Grasso's down-at-the-heel company crossed the Strait of Messina and from the modest Teatro Machiavelli in Catania this precarious band of touring players gave some charity performances in the prestigious Teatro Argentina in Rome, in favor of the Modica flood victims. After witnessing the production of Giovanni Verga's *Cavalleria rusticana* and Giuseppe Giusti Sinopoli's *Zolfara*, Stanislao Manca wrote an enthusiastic review in «La Tribuna». Soon after Nino Martoglio was to found the first «Compagnia Drammatica Dialettale Siciliana».

Even if a Sicilian dialectal theater is already reported in the second half of the 18th Century with the *vastasate*, as Giuseppe Pitrè would have it, and though the official origin is generally seen in the first performance in 1863 at the Teatro S. Anna in Palermo of *I Mafiusi di la Vicaria* by Gaspare Mosca and Giuseppe Rizzotto, it is also true that at the time of Stanislao Manca's article – bringing to the attention of the whole nation this unknown company of Sicilian actors («Who are they? Where are they from? How have they managed to be such forceful and original artists?») – there was no repetory (only a few dramatic plots of a passional kind) and no real organic troupe of interpreters.

Nino Martoglio discovered and knew how to bring out talents: Giovanni Grasso *sr.* and *jr.*, Angelo Musco, Mimì Aguglia, Carmelina Tria, Marinella Bragaglia, Turi Pandolfini, Virginia and Carolina Balistrieri, Tommaso Marcellini, Iole and Vittorina Campagna, Rocco Spadaro, Eugenio Colombo, Rosina Anselmi and numerous other actors owe to him no mean part of their fame. With his extra-ordinary *verve*, Nino Martoglio played a valuable cultural role, not just by involving in his theatrical venture writers of the caliber of Giovanni Verga, Luigi Capuana, Federico De Roberto, Luigi Pirandello and Pier Maria Rosso di San Secondo, without forgetting all those innumerable lesser and minor authors, but also by taking part personally in the drama contest: with his tapping of the poetic and journalistic vein he was to open up a stream of production that became incredibly fruitful.

Soon a number of non-Sicilian writers, too, wished to have their plays performed by Giovanni Grasso, Angelo Musco and their valiant companions: Gabriele d'Annunzio, Roberto Bracco, Fausto Maria Martini, Dario Niccodemi, Sabatino Lopez, Alessandro Varaldo and others.

To give just one example: after the first night of the «Compagnia Drammatica Dialettale Siciliana» who opened on the 16th of April 1903 at the Teatro Manzoni

Luigi Pirandello

in Milan with Giuseppe Giusti Sinopoli's *Zolfara*, which was to be the first of a long line of successes, Gabriele d'Annunzio, who had been present, wrote to Nino Martoglio: «I am envious of the Sicilian writers who have in Giovanni Grasso such a magnificent artistic instrument, and I regret being unable to work with him and being forced to repress my long-felt yearning to try my hand at rural tragedy. Last night, I was overwhelmingly moved and also felt homesick for my ancient land, the Abruzzi».

That was the first seed of *La figlia di Iorio*, which was staged at the Teatro Lirico in Milan on the 2nd of March 1904 by the Talli-Gramatica-Calabresi company and which at d'Annunzio's express wish was translated by the young Giuseppe Antonio Borgese into Sicilian to be performed by «the great and splendid Giovanni Grasso and his fellow actors who express so powerfully the unique soul of their people». This was soon after performed with great success at the Teatro Costanzi in Rome on the 17th of September of the same year.

In the brief span of a few years the Sicilian dialectal theater acquired not only national but also international fame, as is witnessed by the frequent tours all over the world: from North and South America to Russia, from France to England and from Montenegro to Egypt and Tunisia.

It is to the pressing of his friend Nino Martoglio that we owe Pirandello's first theatrical period, the dialectal one. In 1910 Pirandello gave Martoglio for his «Teatro minimo o a sezioni» two one-act plays, *La Morsa* and *Lumìe di Sicilia* (staged on the 19th of December at the Teatro Metastasio in Rome and performed by Vitti and Zambuto). *Lumìe di Sicilia* was given in its dialectal version by Angelo Musco at the Teatro Pacini in Catania on the 1st of July 1915.

This was the first Pirandellian performance by Musco that we know of. After much difficulty and bitterness, Musco had conquered the Milan public with Luigi Capuana's *Lu paraninfu* (12th April 1915), but to keep up this success he needed to widen his repertoire; Martoglio's requests to his friend Pirandello became, therefore, all the more pressing that he, too, should write for Musco, the Catania actor.

Thus, while the First World War was in full force, Pirandello poured out one after the other *Pensaci, Giacuminu!, 'A birritta cu 'i ciancianeddi, Liolà* and *'A giarra*. All were written directly in dialect in that crucial year of 1916 when Pirandello lost his mother, his wife's mental illness took a turn for the worse and his son Stefano was taken prisoner, and all were narrative.

And in this transition from literature written at the desk to that written in and for the theater, a transition considered provisional but which proved to be permanent, the impact with such a force of nature as Musco was decisive.

This was a fundamental moment, and in certain respects a unique one in Pirandello's career, a new and prolific period drawing its sap from the cooperation with Martoglio.

This association of the two friends led to their joint-authorship of some plays *'A vilanza* and *Cappiddazzu paga tuttu* in which even if it is not easy to identify the contribution of each of the writers, one can distinguish equally the technical ability of Martoglio and the dialectical rationality of Pirandello (in the opinion of contemporary critics, the stagecraft is attributable to the former and the plot to the latter).

Pirandello's dialectal production continued in 1917 with *'A patenti*, in Sicilian in the first draft, and the translation of *La Morsa*, in 1918 with Euripides' *Il Ciclope* (which, together with *Il Rosario* by Federico De Roberto, on the 25th of January 1919 at the Teatro Argentina in Rome, opened the season of the Teatro Mediterraneo company, under the artistic direction of Martoglio, Pirandello and Rosso di San Secondo), in 1919 with *Glauco* by Ercole Luigi Morselli and finally, in 1921, *Tutto per bene* appeared with the title *Ccu i nguanti gialli*.

A few days after the first night of *Ccu i nguanti gialli* – the bridge play between Pirandello's dialectal works and those in Italian language – on the 9th of September 1921 at the Teatro Biondo in Palermo, Nino Martoglio died tragically, on the 15th, in the shaft of an elevator which was being installed in the Vittorio Emanuele Hospital in Catania, where he had gone to visit his son Luigi Marco who had been hospitalized there.

A curtain thus falls both on his end, still today cloaked in mystery, and on the Sicilian theater. Of the close cooperation of Pirandello with Martoglio there remain the splendid literary fruits, which in Angelo Musco found an irrepressible and exceptional interpreter, even if unfaithful to the text.

Today the works of Luigi Pirandello are the show pieces of the Catania Teatro Stabile actors. Drawing inspiration from an illustrious past, they perpetuate the Sicilian quintessence of his writings, and in the performance of their leading actor, Turi Ferro, the intense dramatic art of Pirandello's texts is perfectly matched with the deep significance of the Mediterranean gesture.

English captions are on page 233

Sintesi del saggio introduttivo di Sarah Zappulla Muscarà tradotta in francese da André Bouissy (Università di Parigi - Francia)

On s'accorde à dater l'*incipit* de la grande saison du théâtre dialectal sicilien du 3 décembre 1902. Ce même jour la compagnie à bout de souffle de Giovanni Grasso, en provenance du modeste Théâtre Machiavel de Catane, ayant franchi le détroit et jeté l'ancre avec son fragile chariot de Thespis dans le prestigieux Théâtre Argentina de Rome pour quelques galas de bienfaisance en faveur des victimes des inondations de Modica, Stanislao Manca, qui avait assisté à la mise en scène de *Cavalleria rusticana* de Giovanni Verga, et de *Zolfara* de Giuseppe Giusti Sinopoli, leur consacre dans «La Tribuna» un article enthousiaste. Peu de temps après, Nino Martoglio crée la première «Compagnie Dramatique Dialectale Sicilienne».

Luigi Pirandello

S'il est vrai qu'on enregistre l'existence d'un théâtre dialectal sicilien dès la seconde moitié du XVIIIè siècle avec les *vastasate*, à en croire Giuseppe Pitrè, et si son acte de naissance officiel est au contraire daté communément de la première représentation, en 1863, au Théâtre Sant'Anna de Palerme, de *I Mafiusi di la Vicaria* de Gaspare Mosca et Giuseppe Rizzotto, il n'en reste pas moins que lorsque Stanislao Manca écrit son article, qui propose à l'attention nationale cette compagnie inconnue de comédiens siciliens («Qui sont-ils? D'où viennent-ils? Comment se sont-ils révélés des artistes si vigoureux et originaux?») il manque encore un répertoire: seuls circulent quelques rares canevas de drames passionnels et il n'existe pas de *cast* valable et cohérent.

Découvrant et mettant en valeur des acteurs de talent comme les deux Giovanni Grasso, *senior* et *junior*, Angelo Musco, Mimì Aguglia, Carmelina Tria, Marinella Bragaglia, Turi Pandolfini, Virginia et Carolina Balistrieri, Tommaso Marcellini, Iole et Vittorina Campagna, Rocco Spadaro, Eugenio Colombo, Rosina Anselmi et tant d'autres acteurs qui lui doivent en grande partie leur réussite, Nino Martoglio déploie, avec une *verve* extraordinaire, une précieuse activité culturelle. Non seulement il entraîne dans son aventure théâtrale des écrivains de la taille de Giovanni Verga, Luigi Capuana, Federico De Roberto, Luigi Pirandello et Pier Maria Rosso di San Secondo, pour ne rien dire d'innombrables autres auteurs de moindre envergure ou même mineurs, mais il entre lui-même dans l'arène dramatique en créant sa propre production appelée à un grand succès. S'abreuvant largement aux joyeuses sources de sa veine poétique et journalistique, cette production sera même féconde... avec excès.

Bientôt on vit des auteurs non siciliens désireux d'être joués par Giovanni Grasso, Angelo Musco, et les valeureux acteurs de leur troupe: Gabriele d'Annunzio, Roberto Bracco, Fausto Maria Martini, Dario Niccodemi, Sabatino Lopez,

Alessandro Varaldo, etc...

Un seul exemple mais significatif: après avoir assisté à une représentation de la première «Compagnie Dramatique Dialectale Sicilienne», qui débuta au Théâtre Manzoni de Milan le 16 avril 1903 avec *Zolfara* de Giuseppe Giusti Sinopoli, inaugurant une longue série de succès, Gabriele d'Annunzio écrit ces lignes à Nino Martoglio: «J'envie aux écrivains siciliens ce merveilleux instrument d'art qu'est Giovanni Grasso et je déplore de ne pouvoir l'utiliser et d'être contraint de refouler mon vieux rêve de tenter la tragédie agreste. Hier soir, en proie à une profonde émotion, je fus même assailli par la nostalgie de ma vieille terre d'Abruzze».

Tel fut le premier germe de *La figlia di Iorio*, mise en scène au Théâtre Lyrique de Milan le 2 mars 1904 par la compagnie Talli-Gramatica-Calabresi. Selon le désir formel du poète abruzzais, la pièce fut traduite en sicilien par le jeune Giuseppe Antonio Borgese pour être jouée par le «grand et candide Giovanni Grasso et les camarades de sa troupe, qui expriment avec tant de force l'âme originale de la race» puis opportunément représentée avec succès au Théâtre Costanzi de Rome, le 17 septembre de la même année.

A peine quelques années plus tard, le théâtre dialectal sicilien atteint un prestige international autant que national. A preuve les fréquentes tournées qui parcourent le monde: des deux Amériques à la Russie, de la France à l'Angleterre, du Monténégro à l'Egypte et à la Tunisie.

C'est aux sollicitations pressantes de Nino Martoglio que l'on doit la première saison théâtrale pirandellienne en dialecte.

En 1910, Pirandello donne à son ami Martoglio, pour son «Teatro Minimo o a sezioni», deux actes uniques, *La Morsa* (*L'Etau*) et *Lumìe di Sicilia* (*Cédrats de Sicile*), mis en scène le 19 décembre au Théâtre Metastasio de Rome dans l'interprétation de Vitti et Zambuto. La version dialectale de *Lumìe di Sicilia* sera reprise au Théâtre Pacini de Catane le ler juillet 1915 par Angelo Musco, qui interprète pour la première fois une pièce de Pirandello.

Après une période d'amères difficultés, Musco a conquis le public milanais avec *Lu paraninfu* de Luigi Capuana (12 avril 1915) mais pour que dure son succès il a besoin d'élargir son répertoire. Les sollicitations de Martoglio se font alors plus pressantes auprès de son ami Pirandello afin qu'il écrive lui aussi pour l'acteur catanais.

Jaillissent alors l'une après l'autre, tandis que la première guerre mondiale fait rage, *Pensaci, Giàcuminu!, 'A birritta cu 'i ciancianeddi, Liolà, 'A giarra,* pièces composées directement en dialecte, toutes de 1916, année cruciale (il perd sa mère, la maladie mentale de sa femme s'aggrave, son fils Stefano est fait prisonnier), et toutes venant d'une matrice narrative.

Dans ce passage (qui, de transitoire, deviendra définitif) de la littérature en chambre à la création qui vit sur et pour la scène, l'impact avec une force de la nature comme Musco fut décisif.

C'est un moment fondamental, par certains aspects uniques de l'*iter* pirandellien, que cette nouvelle et féconde saison qui prend sa sève nourricière dans cette association avec Martoglio.

La collaboration avec cet ami débouche sur les pièces écrites à quatre mains *'A vilanza* et *Cappiddazzu paga tuttu* dans lesquelles, s'il n'est pas facile de faire le départ entre ce qui est de l'un ou de l'autre écrivain, on peut relever, à égalité, l'habileté technique de Martoglio et la dialectique serrée de Pirandello (à en croire les critiques contemporains, le découpage des scènes est de l'écrivain de Belpasso tandis que le trame est de l'Agrigentin).

La production dialectale de l'écrivain d'Agrigente s'enrichit encore en 1917 de *'A patenti*, en sicilien dans la première mouture, et de la traduction de *La Morsa*, en 1918 de *Il Ciclope* d'Euripide (qui inaugure, avec *Il Rosario* de Federico De Roberto, le 25 janvier 1919, au Théâtre Argentina de Rome, la série des représentations de la compagnie du Teatro Mediterraneo, avec pour comité artistique Martoglio, Pirandello, Rosso di San Secondo), en 1919, de *Glauco* d'Ercole Luigi Morselli et enfin, en 1921, de *Tutto per bene*, sous le titre de *Ccu i nguanti gialli*.

Quelques jours après la première au Théâtre Biondo de Palerme, le 9 septembre 1921, de *Ccu i nguanti gialli*, pièce-charnière de la saison dialectale de Pirandello, Nino Martoglio disparaît tragiquement le 15 du même mois, à la suite d'une chute dans la cage de l'ascenseur en construction de l'hôpital Vittorio Emanuele de Catane, où il est venu au chevet de son fils Luigi Marco.

Un lourd rideau tombe sur sa fin, encore aujourd'hui enveloppée de mystère, et sur le théâtre sicilien. De la collaboration étroite de Pirandello et de Martoglio il reste les fruits littéraires pleins de saveur qui ont eu avec l'impétueux et infidèle Musco un interprète d'exception.

Aujourd'hui, l'oeuvre de Pirandello est la distinction honorifique de l'activité du Théâtre Stabile de Catane qui, s'abreuvant à un passé illustre, perpétue la sicilianité de l'écriture de l'écrivain agrigentin grâce à l'interprétation de son plus grand acteur, Turi Ferro, en qui l'intense dramaturgie de l'oeuvre pirandellienne se marie admirablement avec la profonde tradition gestuelle méditerranéenne.

* *La légende française se trouve á p. 241*

Sintesi del saggio introduttivo di Sarah Zappulla Muscarà tradotta in tedesco da Willi Hirdt (Università di Bonn - Germania)

Als Beginn der großen Saison des sizilianischen Dialekttheaters wird üblicherweise jener 3. Dezember des Jahres 1902 genannt, von dem Stanislao Manca der eher kümmerlichen Schauspielertruppe von Giovanni Grasso in «La Tribuna» einen begeisterten Artikel widmet – Grasso hatte die Meerenge überquert und war mit seinem zerbrechlichen Thespiskarren von dem bescheidenen Machiavelli-Theater in Catania zu dem berühmten Argentina-Theater in Rom gezogen, um dort einige Benefizveranstaltungen für die Opfer der Überschwemmung von Modica zu geben; Manca hatte der Inszenierung der *Cavalleria rusticana* von Giovanni Verga sowie der *Zolfara* von Giuseppe Giusti Sinopoli beigewohnt. Wenig später begründet Nino Martoglio die erste «Compagnia Drammatica Dialettale Siciliana».

Auch wenn, wie Giuseppe Pitrè behauptet, mit den Volksfarcen (den *vastasate*) bereits in der zweiten Hälfte des 18. Jahrhunderts ein sizilianisches Dialekttheater existiert, als dessen offizieller Geburtsakt im allgemeinen das Jahr 1863 angegeben wird, in dem nämlich im S. Anna-Theater Palermos *I Mafiusi di la Vicaria* von Gaspare Mosca und Giuseppe Rizzotto zur Aufführung kommen, so ist und bleibt eine Tatsache, daß zu der Zeit, da Stanislao Manca mit seinem Artikel die Aufmerksamkeit der Nation auf die unbekannte Truppe sizilianischer Komödianten lenkt («Wer sind sie? Woher kamen sie? Wieso haben sie sich als derart kraftvolle, originelle Künstler entpuppt?»), sowohl ein Repertoire – nur einige thematisch auf Leidenschaftsdramen sich beschränkende Handlungsschemen sind im Umlauf – als eine gültige und organische Rollenverteilung fehlen.

Luigi Pirandello

Giovanni Grasso *senior* und *junior*, Angelo Musco, Mimì Aguglia, Carmelina Tria, Marinella Bragaglia, Turi Pandolfini, Virginia und Carolina Balistrieri, Tommaso Marcellini, Iole und Vittorina Campagna, Rocco Spadaro, Eugenio Colombo, Rosina Anselmi und zahlreiche andere Schauspieler verdanken Nino Martoglio ein Gutteil ihrer Laufbahn, der ein besonderes Gespür für Talente besitzt und sie entsprechend ihrer Begabung einzusetzen weiß. Mit dem ihm eigenen Schwung entfaltet Martoglio eine reiche kulturelle Aktivität und bezieht in sein Bühnenabenteuer nicht nur Schriftsteller von der Statur eines Giovanni Verga, Luigi Capuana, Federico De Roberto, Luigi Pirandello und Pier Maria Rosso di San Secondo ein, sondern auch zahllose kleinere und kleinste Autoren. Darüber hinaus versucht er sich selbst als Bühnenautor, und diesem Versuch entspringt eine erfolgreiche Dramenproduktion, die im Zeichen eines besonderen Sinnes des Dichters und Journalisten für das Lustige sogar überreich werden sollte.

Bald wollten auch nicht-sizilianische Autoren von Giovanni Grasso und Angelo Musco sowie ihren tüchtigen Gefährten aufgeführt werden: Gabriele d'Annunzio, Roberto Bracco, Fausto Maria Martini, Dario Niccodemi, Sabatino Lopez, Alessandro Varaldo und andere. Ein Beispiel mag hier für zahlreiche andere stehen. Nachdem er der Aufführung der ersten «Compagnia Drammatica Dialettale Siciliana» beigewohnt hat, die am 16. April 1903 im Mailänder Manzoni-Theater mit *Zolfara* von Giuseppe Giusti Sinopoli debütiert und damit eine lange Reihe von Erfolgen einleitet, schreibt Gabriele d'Annunzio an Nino Martoglio: «Ich beneide die sizilianischen Schriftsteller um ein so großartiges Kunstwerkzeug, wie es Giovanni Grasso ist; ich bedaure, es nicht benutzen zu können und meinen langgehegten Wunsch, mich in der ländlichen Tragödie zu versuchen, unterdrücken zu müssen. In der tiefen Erschütterung, die ich gestern abend empfand, verspürte ich auch den schmerzlichen Stich der Sehnsucht nach meiner alten abruzzesischen Heimat».

Hier liegen auch die ersten Anfänge von *La figlia di Iorio*, die am 2. März 1904 durch die Truppe Talli-Gramatica-Calabresi zur Aufführung gelangt. Auf ausdrücklichen Wunsch des abruzzesischen Dichterfürsten wird das Stück von dem jungen Giuseppe Antonio Borgese ins Sizilianische übersetzt, damit es von dem «großartigen, redlichen Giovanni Grasso und seinen Gefährten» rezitiert werden kann, «in denen so machtvoll die unverfälschte Seele ihres Stammes zum Ausdruck kommt». Und am 17. September desselben Jahres wird es erfolgreich im Costanzi-Theater in Rom aufgeführt.

In wenigen Jahren erlangt das sizilianische Dialekttheater nicht nur nationalen, sondern auch internationalen Rang. Das bezeugen die zahlreichen Tourneen, die um die ganze Welt gehen, von Amerika nach Rußland, von Frankreich nach England, vom Montenegro nach Ägypten und Tunesien.

Die erste – dialektale – Theatersaison Pirandellos ist den dringlichen Bitten des Freundes Nino Martoglio zu danken. 1910 gibt Pirandello ihm für sein «Teatro Minimo o a sezioni» zwei Einakter, *La Morsa* und *Lumìe di Sicilia*, die am 19. Dezember im Metastasio-Theater von Rom, mit Vitti und Zambuto als Interpreten, auf die Bühne kommen. *Lumìe di Sicilia* wird dann in der Dialektfassung von Angelo Musco im Pacini-Theater von Catania am 1. Juli 1915 zur Aufführung gebracht.

Es ist die erste Pirandello-Interpretation des Cataneser Schauspielers, von der wir wissen. Nach Schwierigkeiten und einigen bitteren Erfahrungen erobert Musco das Mailänder Publikum mit *Lu paraninfu* von Luigi Capuana (am 12. April 1915). Um aber weiterhin Erfolg zu haben, ist es unumgänglich, das Repertoire zu erweitern. Immer dringlicher werden daher die Bitten Martoglios an den Freund Pirandello, auch er möge für den Cataneser Schauspieler schreiben.

So entstehen, während der Erste Weltkrieg wütet, in kürzesten Abständen *Pensaci, Giacuminu!, 'A birritta cu 'i ciancianeddi, Liolà* und *'A giarra*, allesamt direkt im Dialekt, allesamt in dem für Pirandello so schwierigen Jahr 1916 (in dem er die Mutter verliert, die Geisteskrankheit seiner Frau sich verschlimmert und sein Sohn Stefano in Kriegsgefangenschaft gerät) und allesamt aus früheren Erzählungen des Agrigentiners.

Und bei diesem – zunächst für provisorisch angesehenen, aber schließlich definitiven – Übergang von einer Literatur für das stille Kämmerlein zur lebendigen Schöpfung für die Bühne ist das Zusammentreffen mit einer Naturgewalt wie

Musco von ausschlaggebender Bedeutung. Für manche Aspekte der Entwicklung Pirandellos ein einschneidender Augenblick, mit dem eine neue und fruchtbare Saison beginnt, deren Stimulans in der freundschaftlichen Verbundenheit mit Martoglio liegt. Der Zusammenarbeit mit dem Freund sind die vierhändig geschriebenen Komödien *'A vilanza* und *Cappiddazzu paga tuttu* zu danken, die nur schwer erkennen lassen, welcher Beitrag im einzelnen von welchem Schriftsteller stammt; sie zeigen aber in gleichgewichtiger Weise das technische Geschick Martoglios und die dialektische Rationalität Pirandellos. (Nach dem Urteil der zeitgenössischen Kritiker ist die szenische Gestaltung von dem Belpasseser, die Handlung von dem Agrigentiner).

Das dialektale Schaffen Pirandellos verzeichnet 1917 noch *'A patenti* – in der Erstfassung auf sizilianisch – und die Übersetzung von *La Morsa.* 1918 folgt *Il Ciclope* (nach Euripides), der zusammen mit *Rosario* von Federico De Roberto am 25. Januar 1919 im Argentina-Theater von Rom die Reihe der Aufführungen der Compagnia del Teatro Mediterraneo einleitet, mit Martoglio, Pirandello und Rosso di San Secondo im künstlerischen Ausschuß. 1919 übersetzt Pirandello den *Glauco* von Ercole Luigi Morselli und schließlich – 1921 – *Tutto per bene,* dem er den Titel *Ccu i nguanti gialli* gibt.

Wenige Tage nach der Premiere von *Ccu i nguanti gialli* am 9. September 1921 im Palermitaner Biondo-Theater – die Komödie markiert zugleich die Abkehr Pirandellos von seinem dialektalen Bühnenschaffen – findet Martoglio ein tragisches Ende in dem im Bau befindlichen Fahrstuhlschacht des Vittorio Emanuele-Krankenhauses in Catania, wo sein Sohn lag, dem er einen Besuch abstatten wollte. Man schreibt den 15. Semptember.

Ein weiter Vorhang schließt sich über seinem Ableben, dessen Umstände noch heute ungeklärt sind, und über der sizilianischen Bühne. Von dem arbeitsintensiven Freundschaftsbund Pirandellos und Martoglios überleben die unvermindert aussagekräftigen Werke, die in dem rastlosen und unbezähmbaren Musco einen Interpreten von außergewöhnlichen Qualitäten fanden.

Heute stellt sich das Werk Pirandellos als das Paradestück der Aktivität des Teatro Stabile von Catania dar, das an eine große Vergangenheit anknüpfen kann und das spezifisch Sizilianische im Dramenschaffen Pirandellos durch Turi Ferro, seinen bedeutendsten Darsteller, zum Ausdruck bringt, in dem die intensive Dramaturgie des pirandellianischen Wortes und eine ausgeprägt mediterrane Gestik auf überaus glückliche Weise zusammenfinden.

*Die deutschen Bilderlöuterungen sind auf der Seite 249

Luigi Pirandello e le origini del Teatro siciliano.

La casa di Girgenti, contrada Caos, ove il 28 giugno 1867 è nato Luigi Pirandello
prima di essere danneggiata durante l'ultima guerra

Caterina Ricci Gramitto e Stefano Pirandello
genitori di Luigi Pirandello

Propr. Museo Civico
Agrigento

Luigi Pirandello studente liceale a Palermo all'età di 17 anni
Luigi Pirandello studente al 1° anno di Giurisprudenza a Palermo

Laute und Lautentwickelung

der

Mundart von Girgenti.

Inaugural-Dissertation

zur Erlangung der Doktorwürde

bei der

Philosophischen Fakultät

der

Rheinischen Friedrich-Wilhelms-Universität zu Bonn

eingereicht und mit den beigefügten Thesen verteidigt

am 21. März 1891, Mittags 12 Uhr

von

Luigi Pirandello

aus Girgenti.

Opponenten:

Jean Etienne Lork, Dr. phil.

Franz Pütz, cand. phil.

Halle a. S.,

Druck der Buchdruckerei des Waisenhauses.

1891.

Luigi Pirandello studente universitario a Bonn

Tesi di laurea di Luigi Pirandello

Luigi Pirandello
fotografato da Luigi Capuana

Maria Antonietta Portulano, moglie di Luigi Pirandello
Luigi Pirandello

Maria Antonietta Portulano

Luigi Pirandello nel suo studio

Luigi Pirandello
all'epoca de *Il fu Mattia Pascal*

La famiglia Pirandello

D'ARTAGNAN
GIORNALE POLITICO LETTERARIO ARTISTICO

Catania, 10 decembre 1902

Carissimo Manca,

Anzitutto vi ringrazio d'esservi ricordato di me in una questione d'arte siciliana.

In questa morta gora, per [illegible], ove mi indugio mio malgrado, in questo ambiente così triste, angusto, ove è persino delitto possedere un briciolo d'ingegno e ragione d'inimicizie l'elevarsi un pollice sul comune gorgo, mi ero ormai rassegnato a ritenermi dimenticato dalla gente condotta intellettuale, verso la quale ho forse il torto d'essermi mostrato punto umile e leccazampe.

Dunque il teatro siciliano non è esistito prima d'oggi: Esso comincia oggi; con Zolfara, con Cavalleria rusticana, con [illegible] (che recitata in siciliano avrà altro sapore, – lo vedrete a suo tempo –) e con altri lavori che autori vecchi e prossimi, e giovani volenterosi e intelligenti, preparano per la compagnia.

E comincio con Giovanni Grasso e con Marinella Bragaglia, questa simpatica e intelligente ragazza, che ha potuto riuscire a recitare in dialetto perchè, figlia di vecchi comici, è nata e vissuta in Sicilia e volentieri si è arresa al desiderio mio e del Grasso.

La lettera autografa
di Nino Martoglio a Stanislao Manca.
Catania, 10 dicembre 1902

Nino Martoglio
Stanislao Manca

Copione manoscritto di *Zolfara* di Giuseppe Giusti Sinopoli
Giuseppe Giusti Sinopoli

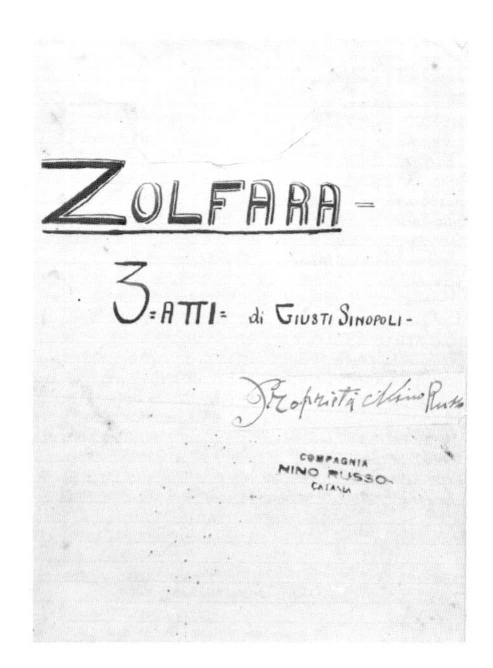

Giovanni Grasso e Marinella Bragaglia
in *Zolfara* di Giuseppe Giusti Sinopoli

Una scena di *Cavalleria rusticana* di Giovanni Verga

CAVALLERIA RUSTICANA

SCENE POPOLARI IN UN ATTO

di G. VERGA

PREFETTURA DI CATANIA

Giovanni Verga
Copione manoscritto
di *Cavalleria rusticana*
di Giovanni Verga
Totò Maiorana in *Cavalleria rusticana*

Catania li 25/12 1902

Manca Rispettabile

Uomo Distinto, rispettabile,
compito, nobile, santo:
Che Iddio possa lungamente
tenerlo così.
La mia famiglia gli manda
tante benedizioni da poter
riempire mezza Roma
non mi chiama esaggerato
ma in proporzione è così.
Ho raccontato tutto a mia
Madre

Lettera autografa
di Giovanni Grasso a Stanislao Manca.
Catania, 25 dicembre 1902

Locandina
della Compagnia Giovanni Grasso

La Compagnia Siciliana di Giovanni Grasso

Rocco Spadaro
Rosalia Spadaro
Salvatore Lo Turco

Marinella Bragaglia
Giovanni Grasso

Totò Maiorana
Domenico Grasso

CIRCOLARE

TEATRO ALESSANDRO MANZONI

Recita 1 d'Abb. — Telefono 1327 — Sera dispar

Giovedì 16 Aprile 1903, ore **20,45** (8 3[4 p.)

PRIMA RECITA

della Compagnia Drammatica Dialettale Siciliana **NINO MARTOGLIO**

Direzione artistica: **NINO MARTOGLIO - GIOVANNI GRASSO**

che rappresenterà:

LA ZOLFARA

Dramma in 3 atti di G. GIUSTI SINOPOLI.

PERSONAGGI

Brigida la Cicala, madre di	N. Spadaro	Don Lorenzo il Pescecane, padrone della miniera	G. Bragaglia
Mara	MARINELLA BRAGAGLIA	Amilcare, ingegnere mineralogico	G. Lombardo
Vanni (soci)	GIOVANNI GRASSO	Silvestro	N. Libassi
Cecco (soci)	A. Musco	Rosa	S. Bilardino
Biagio (soci)	N. N.	Paola	V. Bragaglia
Ignazio (soci)	R. Malvica	Caterina	G. Carrara
Monico (soci)	D. Grassa	Epifania	E. Carrara
Gregorio (soci)	V. Ferrau	Carmela	T. Malvica
Jacopo, capo-mastro	S. Lo Turco	Tresa	G. Libassi
Gennaro, e	T. Malorana	Peppina	G. Malvica
Filippo, Testa di gatto, picconieri	R. Spadaro	Grazia	R. Viscuso
Masuccio il Buovo d'Antona (carusi)	N. N.	Tudda	C. Lambertini
Colicchia il Mulo (carusi)	E. Bragaglia	Saridda	L. Martinez
Jannuzzo il Malacarne (carusi)	N. N.	Sciabecca	V. Accomito
Giacomino (carusi)	N. N.	Padre Fedele	N. Viscuso

Abbonamento per Num. 15 Recite:

Ingresso L. 8 - Poltrone e Posti di Palchettone di Parapetto L. 30 (oltre l'ingr.)

Sedie comuni di Platea e Palchettone, altre file L. 20 (oltre l'ingr.)

Palchi di 1.° e 2.° ordine L. 120 (oltre l'ingr.) - Palchi di 3.° ordine L. 60 (oltre l'ingr.)

PREZZI PER DETTA SERA

Ingresso L. **UNA** - Poltrone e posti di Palchett. di Parapetto L. **3** (olt. l'ing.)

Sedie comuni di Platea e Palchettone altre file L. **2** (olt. l'ing.)

Palchi di 1.° e 2.° ord. L. **12** (oltre l'ing.) - Palchi 3.° ord. L. **6** (oltre l'ing.)

Il Camerino del Teatro è aperto tutti i giorni dalle ore 10 in avanti per la vendita dei biglietti d'ingresso, posti distinti e palchi.

Il teatro si apre alle ore 20,15 (8 1[4 pom. — Lo spettacolo finirà alle ore 23 circa.

Angelo Musco

Locandina della 1ª rappresentazione di *Zolfara*
È la 1ª esibizione della prima
«Compagnia Drammatica Dialettale Sicilia
Nino Martoglio»

Una scena di *Zolfara* (disegno di Antonio Minardi)

... autori... attori... attrici...

Luigi Capuana
Nino Martoglio
Giovanni Verga
Giuseppe Rizzotto

Giuseppe Giusti Sinopoli
Federico De Roberto
Adelaide Bernardini Capuana

Peppino Fazio
Giovanni Alfredo Cesareo
Giuseppe Antonio Borgese

Pier Maria Rosso di San Secondo
Attilio Rapisarda
Giuseppe Macrì

Giovanni Grasso
Giovanni Grasso
con in braccio Umberto Spadaro

Giovanni Grasso

Carmelina Tria

La famiglia Spadaro

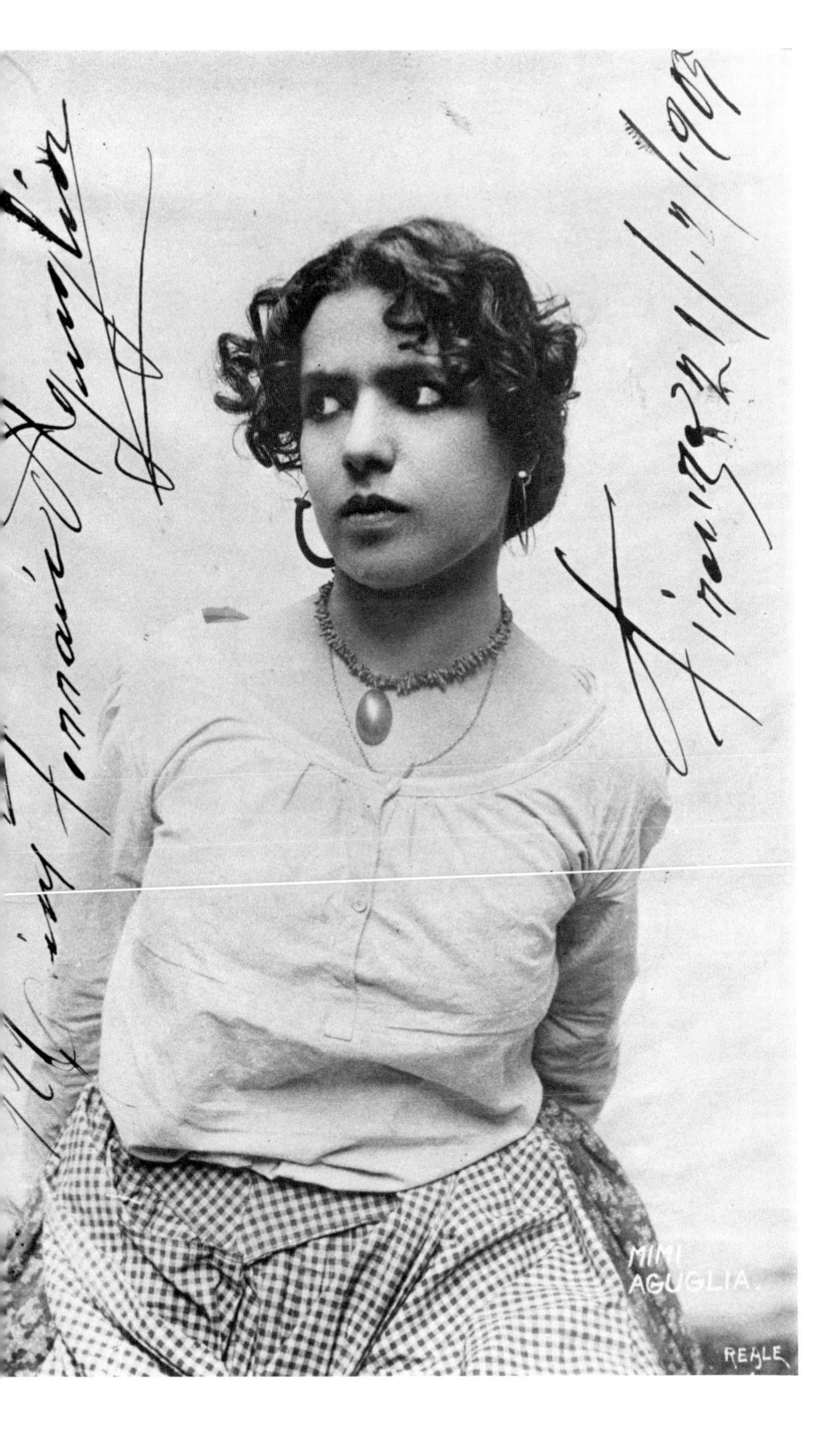

Mimì Aguglia

Angelo Musco

MUSCO

Marianna Catalisano Balistrieri

Vittorio Emanuele Balistrieri
Rosina Balistrieri
Gennaro Balistrieri

Virginia Balistrieri Grasso

Desdemona Balistrieri Musco

Tommaso Marcellini

Tommaso Marcellini
Iole Campagna

Iole Campagna Marcellini

Il successo del Teatro siciliano in Italia e all'estero.
Presto anche autori non siciliani ambirono d'essere rappresentati da Giovanni Grasso e Angelo Musco e dai loro valorosi compagni d'arte.

L'ATTUALITÀ SETTIMANALE PUBBLICA ILLUSTRAZ. ORIGIN. E SI STAMPA IN ROMA
Conto corrente postale
NUM. XV.
L'ATTUALITA
Settimanale
di Luigi Bellinzoni
Ogni numero centes. 20
ABBONAMENTI
IN ITALIA PER UN ANNO . . . L. 10
ALL'ESTERO » . . . » 12
Cenni, Giudizi, Aneddoti
SUL TEATRO SICILIANO
E su
La Figlia di Jorio
RAPPRESENTATA DALLA
Compagnia Giovanni Grasso
AL
Teatro Costanzi
DI
ROMA
★ Direzione ★ ★ ★ ★
Piazza della Pigna, N. 12
Tipografia Ed. " Roma "

«L'Attualità Settimanale», Roma, 17 settembre 1904. Numero speciale dedicato a *La figlia di Iorio* di Gabriele d'Annunzio in dialetto siciliano

100

in Firenze li 21/IV/1905

Totò Maiorana in *La figlia di Iorio*
di Gabriele d'Annunzio
Carolina Balistrieri in *La figlia di Iorio*
di Gabriele d'Annunzio

nelle pagine precedenti:

Giuseppe Antonio Borgese, Mimì Aguglia, Gabriele d'Annunzio, Giovanni Grasso e Adolfo De Carolis al tempo de *La figlia di Iorio*
Mimì Aguglia in «Mila di Codro»

La figlia di Iorio di Gabriele d'Annunzio (scene dello spettacolo)

Locandina de *La figlia di Iorio* di Gabriele d'Annunzio

reg.mo Signore,

R. TEATRO NICCOLINI

ULTIME RECITE

Giovedì 21 Dicembre 1905 a ore 20 45

La Drammatica Compagnia Siciliana diretta dal

Cav. Uff. **GIOVANNI GRASSO**

Condotta e amministrata da VINCENZO FERRAÙ

ULTIMA DEFINITIVA REPLICA

LA FIGLIA DI JORIO

Tragedia pastorale in 3 atti di **GABBRIELE D'ANNUNZIO**

Tradotta in siciliano da G. A. BORGHESE

PERSONAGGI

Aligi	*G. GRASSO*	Felavia Sèsara .	*M. Calabresi*
Lazaro di Roio .	*T. Majorana*	Maria Cera . . .	*G. Sapuppo*
Candia della Leonessa	*M. Balistrieri*	Mila di Codra . .	*M. AGUGLIA*
Splendore . . .	*S. Aguglia*	Femo di Nerfa . .	*A. Campagna*
Favetta	*R. Viscuso*	Jenna dell' Eta . .	*G. Calabresi*
Ornella	*D. Balestrieri*	Jonia di Midia . .	*A. Viscuso*
Maria di Giave . .	*F. Galloni*	La vecchia dell'Erbe	*G. Campagna*
Vienda	*I. Galloni*	Il Cavatesori . . .	*V. Galloni*
Teodola di Cinzio. .	*R. Marano*	Il santo dei Monti .	*R. Spadaro*
La Cirinella . . .	*D. Galloni*	L'indemoniato. . .	*G. Campagna*
Monica de la Cogna.	*V. Balistrieri*	Un pastore	*V. Balestrieri*
Anna di Bova . . .	*S. Alcozzino*	Un altro pastore. .	*D. Aguglia*
La Catalana delle tre bisacce	*R. Spadaro*	Un mietitore . . .	
		Un altro mietitore .	*P. Sapuppo*

La turba. Il coro dei parenti. Il coro dei mietitori. Il coro delle lamentatrici

Nella terra d'Abruzzi or è molti anni

Biglietto d'Ingresso alla Platea e Galleria ***Lire Una***

Poltrone L. 2,50 — Posti distinti num. L. 2 — Posti num. L. 1

Palchi 1ª e 2ª fila L. 12 — Palchi 3ª fila Lire 6 — Palchi 4ª fila L. 3

Tutto oltre l' Ingresso

Al camerino del Teatro è aperta la vendita dei palchi, poltrone e posti distinti. — L'impresa garantisce soltanto i palchi che si acquistano nel teatro stesso.

Domani Venerdì: Serata in onore del **Cav. Uff. G. GRASSO**

Firenze, T.p. Fioretti, Via Pandolfini N. 19

The Daily Mirror

THE MORNING JOURNAL WITH THE SECOND LARGEST NET SALE

No. 1979. | Registered at the G. P. O. as a Newspaper. | TUESDAY, MARCH 1, 1910 | One Halfpenny.

CHILDREN OF THE SICILIAN ACTORS NOW PLAYING IN LONDON IMITATE THEIR PARENTS ON THE STAGE.

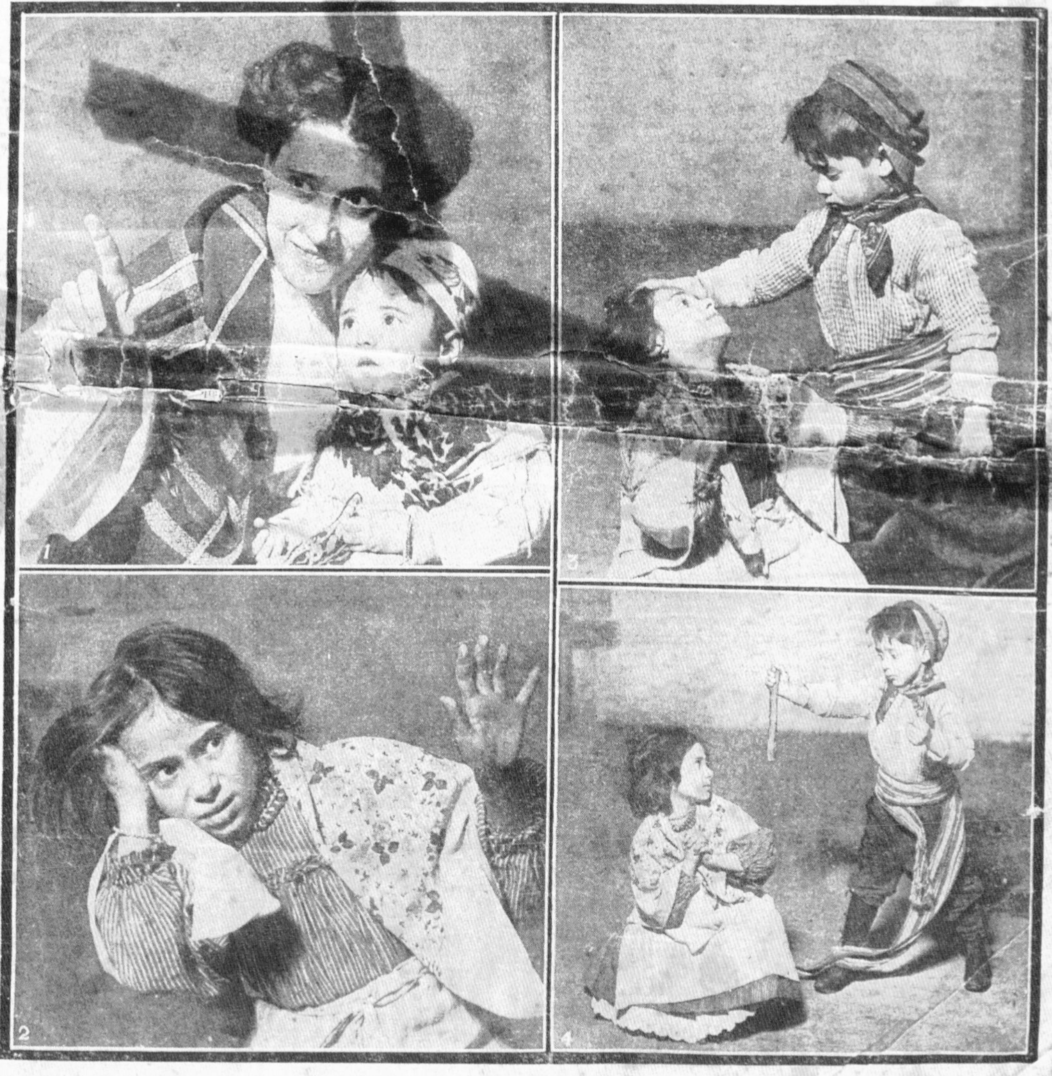

Acting appears to come naturally to Sicilian children. The Sicilian players who are now appearing at the Lyric Theatre have brought their families to England with them, and the youngsters are never so happy as when on the stage at the Lyric imitating their parents and going through their repertory. (1) Signora Bragaglia, the leading lady, teaching Itala Marazzi, aged three, how to act. (2) Gina Spadaro, aged seven, imitating Signora Marinella Bragaglia in "La Zolfara," which means the sulphur mine. (3) Gina and her brother, Umberto, aged six, who imitates Cav. Grasso. (4) Another picture of Gina and Umberto.—*Daily Mirror* photographs.

Luigi Pirandello

Luigi Pirandello
e il suo biografo,
Federico Vittore Nardelli

Lettera autografa
di Luigi Pirandello a Nino Martoglio

Roma, 1. VIII. 1907.

Caro Martoglio,

valga la presente
serale impegno di consegnarti dentro
il settembre p. v. la mia commedia
in dialetto siciliano *'U flautu* e dentro
il dicembre seguente l'altra, dal titolo
Giustizia; e valga altresì d'autorizzazione
alla Compagnia Drammatica
Siciliana Martoglio-Marcellino, da
te condotta e diretta, di rappresentarle
entrambe, dal dì della consegna a
tutto il carnevale del 1912, corrispondendo

nella pagina seguente:

Luigi Pirandello, *Teatro Siciliano?*, «Rivista Popolare di Politica, Lettere e Scienze sociali», Roma, 31 gennaio 1909

portanza, come Cagliari, Mac.rata, Siena ecc., ora si cullano nella dolce speranza di poter essere trasferiti a sedi veramente importanti ed ambite, senz'alcun concorso.

Ma a quest ribellioni non oneste dovrebbe sapersi imporre ogni onesto legislatore, per la giustizia e pel bene dei pubblici ordinamenti.

Torneremo in un secondo articolo ad occuparci in modo particolare, di questi *concorsi per titoli*, specialmente rispondendo alle due obbiezioni dello intralcio che apporterebbero all'amministrazione della P. I. e della spesa che causerebbero all'erario, quando essi divenissero *regola assoluta* per ogni trasferimento.

G. CARANO-DONVITO

TEATRO SICILIANO?

Premetto ch' io son nemico non dell'arte drammatica, bensì di quel mondo posticcio e convenzionale del palcoscenico, in cui l'opera d'arte drammatica è purtroppo, inevitabilmente, destinata a perdere tanto della sua verità ideale e superiore, quanto più acquista di realtà materiale, a un tempo, e fittizia.

Per me, l'opera d'arte, tragedia, dramma o commedia, è compiuta quando l'autore l'ha convenientemente espressa: quella che si ascolta in teatro è una traduzione di essa, una traduzione che, per necessità, come ho già dimostrato altrove (1), guasta e diminuisce. L'arte non rappresenta tipi nè dipinge idee; ma, per sua stessa natura, idealizza, cioè semplifica e concentra, libera le cose, gli uomini e le loro azioni dalle contingenze ovvie, comuni, dai particolari senza valore, dai volgari ostacoli quotidiani; in un certo senso, li astrae; cioè, rigetta, senza neppur badarvi, tutto ciò che contraria la concezione artistica e aggruppa invece tutto ciò che, in accordo con essa, le dà più forza e ricchezza espressiva. L'idea che lo scrittore ha de' suoi personaggi, il sentimento che spira da essi evocano le immagini più convenienti; e i particolari inutili spariscono; tutto ciò che è imposto dalla logica vivente del carattere è riunito, concentrato nell'unità d'un essere meno reale, forse, e tuttavia più vero.

L'attore fa proprio il contrario di ciò che ha fatto il poeta. Rende cioè più reale e tuttavia men vero il personaggio creato dal poeta; dà una consistenza artefatta, in un ambiente posticcio, illusorio, a persone e ad azioni che hanno già avuto un' espressione di vita superiore alle contingenze materiali e che vivono già nell'idealità essenziale e caratteristica della poesia.

Se talvolta questa specie di traduzione in realtà materiale, che vediamo su la scena, non guasta e non diminuisce, vuol dire che lo scrittore non ha espresso convenientemente l'opera sua, non ha fatto cioè un'opera d'arte vera e propria, per sè espressa, viva per sè, libera e intera, ma una specie di canovaccio (quasi uno *scenario* da commedia dell'arte, un pò più diffuso, ma sempre abbozzato) per la creazione di quel tale attore o di quella tale attrice su la scena.

La creazione non può esser che una e originale, ed è del poeta o dell'attore: se è del poeta, l'attore non fa che una traduzione più o men fedele, più o men efficace, ma una traduzione sempre, e per forza un po' diminuita e un po' guasta; se è dello attore, il poeta non dà che la materia da elaborare e da plasmare su la scena.

Premesso questo, io non posso acconciarmi a veder le ragioni dei traduttori, cioè degli attori. Ma si è fatta questa domanda, a proposito del nascente teatro dialettale siciliano, che due valorosissimi attori, il Grasso e l'Aguglia, portano adesso in giro per il mondo, suscitando a un tempo entusiasmo e ribrezzo: Può uno scrittore siciliano esser padrone de' suoi argomenii, dati i gusti e le tendenze del pubblico e le stesse qualità rappresentative degli esecutori?

L'arte, se vuole esser arte, rispondiamo, ha bisogno innanzi tutto della sua libertà. Costringere un autore drammatico a tener presenti nell'atto della creazione le qualità rappresentative degli esecutori è press'a poco come costringere un poeta a comporre un sonetto a rime obbligate. Non lo scrittore deve adattarsi alle qualità dell'esecutore; ma questi a quelle dello scrittore, o meglio, dell'opera a cui deve dar vita su la scena. Se l'attore non sa o non può, vuol dire che è un cattivo attore, o un attore troppo unilaterale. E se il teatro dialettale siciliano non può disporre oggi che di questi attori vuol dire che non ha ancora in se tanta vita e tanta forza da produrne altri; e che un teatro dialettale siciliano non esiste e, date le presenti condizioni, non si può creare, ma tutt' al più si possono far soltanto canovacci e scenari da commedia dell'arte per le spaventose bravure del signor Grasso e della signora Aguglia.

E poi, i gusti e le tendenze del pubblico... Di qual pubblico? Questo è un altro problema, anche più complesso.

Quali sono le ragioni per cui uno scrittore può essere indotto a comporre in dialetto anzi che in lingua?

L'opera di creazione l'attività fantastica che lo scrittore deve impiegare, sia che adoperi la lingua sia che adoperi il dialetto, è la stessa. Diverso è il mezzo di comunicazione, cioè la parola. Ora, che cosa sono le parole, prese così, in astratto? Sono i simboli delle cose in noi, sono le larve che il nostro sentimento deve animare e la nostra volontà muovere.

Prima che il sentimento e la volontà intervengano, la parola è pura oggettività, e conoscenza. Ora, queste parole, mezzi di comunicazione, queste conoscenze son fatte per l'universale, ma non per un universale astratto, poiché non sono astrazioni logiche, ma rappresentazioni generali. Sono, ad esempio, *la casa*, *la strada*, *il cavallo*, *il monte* ecc. così, in generale, non quella tal casa, quella tale strada, quel tale cavallo, quel tal monte, con un modo d'esser determinato e una determinata e particolar qualità. Ragioni storiche, etnografiche, condizioni di vita, usi, costumi, ecc., allargano o restringono i confini di queste conoscenze, di queste oggettivazioni delle cose in noi.

Ora, certamente un grandissimo numero di parole d'un dato dialetto sono su per giù — tolte le alterazioni fonetiche — quelle stesse della lingua, ma come concetti delle cose, non come particolar sentimento di esse. Astrazion fatta da questo particolar sentimento, anche il concetto delle cose però non riuscirà intelligibile, ove non si abbia conoscenza delle parole, come tali. Ma ci son poi tante e tante altre parole che, fatta astrazione anche qui dal particolar sentimento e da quell'eco speciale che il loro suono suscita in noi, a considerarlo soltanto come pure conoscenze sono così locali, che non possono essere intese che entro i confini d'una data regione.

Ora, perchè uno scrittore si servirà di un mezzo di comunicazione così limitato, quando l'attività creatrice ch' egli dovrà impiegare sarà pure la stessa? Per varie ragioni, che limitano tutta la produzione dialettale come conoscenza, perché sono appunto ragioni di conoscenza, della parola e della cosa rappresentata: o il poeta non ha la conoscenza del mezzo di comunicazione più esteso che sarebbe la lingua; oppure, avendone la conoscenza, stima che non saprebbe adoperarla con quella vivezza, cioè con quella natività opportuna che è condizione prima e imprescindibile dell'arte; o la natura dei suoi sentimenti e delle sue immagini è talmente radicata nella terra, di cui egli si fa voce, che gli parrebbe disadatto o incoerente un altro mezzo di comunicazione che non fosse l'espressione dialettale; o la cosa da rappresentare è talmente locale, che non potrebbe trovare espressione oltre i limiti della conoscenza della cosa stessa.

Una letteratura dialettale, in somma, è fatta per restare entro i confini del dialetto. Se ne esce, potrà esser gustata soltanto da coloro che di quel dato dialetto han conoscenza e conoscenza di quei particolari usi, di quei particolari costumi, in una parola, di quella particolar vita che il dialetto esprime.

Ora, fuori dei confini dell'isola che conoscenza si ha della Sicilia? Una conoscenza limitatissima di poche espressioni caratteristiche, violente, divenute ormai di maniera.

Il carattere drammatico siciliano s'è fissato tipificato nella terribile, meravigliosa bestialità di Giovanni Grasso.

Mancando ogni altra conoscenza della vita pur così varia e caratteristica della Sicilia, ogn' altra espressione di essa riesce quasi inintelligibile. Non si parli, dunque, di gusti e di tendenze del pubblico: qui si tratta di conoscenza soltanto.

Un teatro dialettale, che rappresentasse la vita varia e diversa della Sicilia, potrebbe esser gustato e accolto con favore solamente in Sicilia: fuori della Sicilia possono aver fortuna soltanto quelle espressioni di cui si ha conoscenza, divenute ormai tipiche: possono aver fortuna cioè il signor Grasso e la signora Aguglia, che non avrebbero neanche bisogno di parlare per farsi applaudire: basterebbe la mimica.

Per concludere: si vuol creare veramente un teatro dialettale siciliano, o si vuol manifatturare una Sicilia d'esportazione per il signor Grasso e la signora Aguglia?

Quel genialissimo poeta e drammaturgo, che è Nino Martoglio, tentò sul serio il primo, e non ebbe nè avrebbe potuto aver fortuna fuori della Sicilia, non già per i gusti e le tendenze del pubblico, ripeto, ma per l'ignoranza in cui questo purtroppo si trova tuttora, rispetto alla Sicilia, di quella prima parte fondamentale d'ogni creazione artistica, che è il materiale conoscitivo. L'arte è creazione e non è conoscenza; ma la creazione dell'arte non è *ex nihilo*, ha bisogno della conoscenza, ha bisogno cioè che prima la cosa sia per astrazione conosciuta in se stessa e nella parola che ne è il simbolo e la rappresentazione generale, perchè venga intesa poi a dovere e gustata la individuazione di essa, il subiettivarsi dell'oggettivazione, in che l'arte appunto consiste.

L'impresa del Martoglio fallì. Hanno fortuna invece il signor Grasso e la signora Aguglia; ma che la Sicilia abbia molto da rallegrarsene, non crederei.

LUIGI PIRANDELLO

(1) Vedi il mio studio *Illustratori, Attori e Traduttori* nel volume *Arte e Scienza* (Roma, Modes ed., 1908).

AI NOSTRI ABBONATI — **Preghiamo vivamente i nostri abbonati di volerci mandare, senza alcuna responsabilità da parte loro, indirizzi di amici e conoscenti che possano, con probalità, abbonarsi alla rivista.**

Luigi Pirandello in una caricatura di Roxas
Luigi Pirandello alla festa del libro (disegno di Ugo Fleres)

Luigi Pirandello alla macchina da scrivere

Luigi Pirandello al tavolo da lavoro

Angelo Musco, la sua compagnia, i suoi successi, la stagione siciliana di Pirandello, la stagione siciliana di Luigi Pirandello, la sua collaborazione con Nino Martoglio, autori e critici contemporanei

La Compagnia Angelo Musco

Turi Pandolfini

Essad Pascià fa giustiziare i rivoltosi d'Albania

PIGI ci telefona da Roma, 1 notte:

Il *Corriere della Sera* riceve da Durazzo: Da qualche giorno i tribunali istituiti da Essad Pascià per giudicare i ribelli hanno pronunziato molte condanne a morte.

In seguito alle sentenze emesse sono stati impiccati 6 ribelli a Durazzo, 4 a Kiaka e 5 a Shiak.

Altri condannati graziati si ebbero commutata la pena nella galera a vita.

Tali esecuzioni hanno prodotto profonda impressione.

Si assicura che altre esecuzioni seguiranno perchè i giustiziati di ieri erano parte dei capi capi ribelli in sottordine mentre i dirigenti del movimento non sono stati ancora scoperti.

Benedetto XV riceve il nipote di Leone XIII

Figi ci telefona da Roma, 1 notte:

In questi giorni il papa — si dice — aveva ricevuto degli alti personaggi che avevano tenuto altissime cariche nella corte pontificia durante il papato di Leone XIII e nei primi tempi di quello di Pio X.

E su questo ricevimento avvenuto avvolto in un certo mistero si appuntarono le ricerche affannose della stampa della capitale.

Ora si conosce che il ricevimento in parola è avvenuto precisamente nel giorno di S. Pietro nel quale furono ricevuti in udienza particolare il conte Camillo Pecci ed il cav. Mac-Nutt, il primo brigadiere delle guardie nobili, il secondo cameriere di cappa e spada molto in auge durante il pontificato di Leone.

Il conte Pecci in seguito ad un vivace alterco ed un mancato duello col principe Altieri, ed il cav. Mac-Nutt ad un processo che destò grande clamore dovettero dimettersi ed allontanarsi dal Vaticano.

Alla salita al trono pontificio di Benedetto i due personaggi ritornarono a farsi vedere al Vaticano — fugaci apparizioni però — ed ora vennero ricevuti dal Pontefice.

E più notevole è ancora il fatto che Mac Nutt la mattina del 29 assistette ad una messa pontificale cui furono ammesse solo 150 persone tra i maggiorenti del partito cattolico ed i presidenti delle varie associazioni cattoliche.

La notizia ha suscitato meraviglia vivissima e grandi e svariati commenti.

I nostri soldati nel giudizio di un alto ufficiale

Figi ci telefona da Roma, 1 notte:

Un alto ufficiale dell'esercito italiano, noto per la sua serietà, giudice incontestabile di sè e dei suoi, ha scritto dal fronte una lunga lettera ad un suo amico, dalla quale ci piace togliere questo interessantissimo brano:

« Sono contento dei miei, i quali si dimostrano, quali io desidero, quali devono essere.

« E' un piacere vederli in azione!

« Con ciò non può mancarci il risultato finale ».

Meglio la morte che una pace gravida di pericoli

Una lettera aperta del Senatore Destournelles al Ministro Bryan

Telegrafano da Parigi, 1:

Il senatore Destournelles Deconstant indirizza a Bryan, ex segretario di Stato a Washington, una lettera aperta ricordandogli gli sforzi fatti insieme per evitare la guerra e resi vani dall'odiosa aggressione austro-tedesca, contro la Serbia e il Belgio.

Destournelles riconosce che nessuno chiede agli Stati Uniti di dichiarare la guerra alla Germania, ma il mondo intero chiede che gli Stati Uniti non restino spettatori indifferenti della violazione del diritto.

Il silenzio del governo nord Americano, dinanzi all'invasione del Belgio fu una sorpresa dolorosa per tutti gli amici degli Stati Uniti ed ora, aggiunge Destournelles, voi propugnate la pace che lascierà al militarismo tedesco di ritirarsi intatto per meglio preparare la sua fortuna un'altra volta.

Caro signor Bryan, voi andate contro il vostro scopo, rischiate di prolungare la guerra, portando al militarismo tedesco il soccorso della vostra eloquenza farete correre ancora una maggior quantità di sangue.

La pace che attendete dalla stanchezza dei combattenti non sarà mai nostra. Meglio vale la morte che questa pace.

Bisogna finirla, come abbiamo sempre detto, non con la guerra soltanto ma con le cause della guerra, cioè con oneri insopportabili e le incertezze della pace armata.

Bisogna con queste violenze finirla con il militarismo prussiano.

di vapori era partito da Kisumu per Bukoba, distante 240 miglia, si incontrò col primo in questo ultimo luogo.

Il 22 attaccarono insieme 400 fucilieri nemici che furono messi in rotta dopo un accanito combattimento.

Due contingenti distrussero case fortificate e le opere di difesa di Bukoba.

Nella casa del comandante tedesco fu trovata una bandiera musulmana di fabbricazione europea.

Le truppe britanniche ebbero 10 morti e 27 feriti, fra cui due ufficiali.

Le perdite constatate del nemico furono di 16 morti e 30 feriti, pare, però, che il nemico avrebbe avuto altre perdite.

Due vapori norvegesi affondati dal sottomarini tedeschi

Telegrafano da Londra, 1:

Un telegramma ricevuto dal *Lloyd* dice che il capitano e 13 uomini dell'equipaggio del vapore norvegese « Cambuskenneth » sbarcarono ieri mattina a Galleyhead.

La nave fu affondata ieri a 28 miglia a sud ovest di Galleyhe dal sottomarino tedesco « U. 39 », che prese a bordo otto uomini dell'equipaggio del « Cambuskenneth », di origine tedesca.

* * *

Un altro telegramma al *Lloyd* da Tynemouth dichiara che il vapore norvegese *Yedo* venne affondato la sera del 29 da un sottomarino tedesco, a 27 miglia a nord est di Tynemouth.

L'"Armenian,, affondato

Telegrafano da Londra, 1:

Il grande piroscafo inglese «Armenian» fu affondato lunedì da un sottomarino al largo di Cornovaglia.

Alcuni uomini dell'equipaggio sono scomparsi.

Un epico duello

Un ufficiale tedesco ucciso da un belga

Si ha da Cairo, 1:

Viaggiatori provenienti dall'Uganda fanno impressionanti racconti circa i combattimenti, che attualmente si svolgono nell'Africa orientale tedesca.

Avvenne colà un incidente indubbiamente unico.

Una compagnia di soldati di colore comandata da un ufficiale belga si trovò di fronte ad una compagnia pure di soldati di colore, comandati da un ufficiale tedesco, in una località fra il lago di Kivu e il lago Tanganyka. Come avvenne anticamente, i due ufficiali si batterono fra di loro; ma i loro soldati rimasero invece spettatori impassibili.

Dopo aver fatto alcuni passi e compreso che il belga avrebbe avuto felicemente ragione di lui, in un duello alla spada, l'ufficiale tedesco sparò all'improvviso la rivoltella, ma l'ufficiale belga, avendo indovinato il movimento del nemico, non fu meno pronto a fare ugualmente, cosicchè i due si presero di mira nello stesso tempo.

L'ufficiale belga rimase ferito alla spalla mentre il tedesco cadde fulminato da una palla al cuore. A tale vista la compagnia tedesca si arrese come un sol uomo.

Un'altra volta un contingente di fucilieri africani avendo perduto tutti i suoi ufficiali, il comando fu assunto da un sergente di colore, il quale inflisse una piena sconfitta al contingente tedesco.

Altre notizie di cronaca

Nel lavoro

Lavorando nello stabilimento di mattonelle di via Campo Trincerato, il bracciante Mita Salvatore di Paolo, di anni 18, da Palagonia, qui dimorante al n. 85 della via Giamboni, si produsse una ferita da squarciamento alla faccia posteriore del gomito sinistro con frattura esposta dell'olecrano dell'articolazione.

A giudizio dei sanitari del Santa Marta, potrà guarire tra una sessantina di giorni, con riserva sulla supposta lesione della articolazione.

* * *

— Il lavorante Santagati Rosario di Pasquale, di anni 18, da Catania con domicilio al n. 38 della via Traforo, riparò ieri all'ospedale S. Marta per farsi medicare una ferita da strappamento alla seconda falange del pollice della mano sinistra con perdita dell'apice della detta falange e delle parti molli.

Dichiarò di essersi ferito con una latta di zinco nello stabilimento di salse alimentari dei fratelli Ferlito.

Guardirà in giorni di cura.

* * *

— Per essergli caduto, durante il lavoro, un pezzo di ferro sulla mano, il macchinista Ignazio Garri di Antonino, di anni 30, da Grammichele, dimorante al n. 27 di via Garibaldi, era costretto, ieri, a ricorrere alle cure dei chirurghi del S. Marta per farsi medicare una ferita contusa alla faccia palmare del 2.o metacarpo della mano destra.

Ne avrà per dieci giorni.

* * *

Ieri verso le ore 14 riparava al pronto soccorso della Croce Rossa di piazza dei Martiri il conciapelle Viola Giuseppe di Mario di anni 13 da Catania, dimorante in via Brancato al n. 11 per farsi medicare dal dottore di guardia una ferita contusa alla regione parietale destra prodottasi in seguito ad una caduta mentre si coricava addosso a un collo di cuojami.

Ne avrà per 5 giorni.

Spettacoli di questa sera

Politeama Pacini

Compagnia Comica Dialettale del Cav. Uff. Angelo Musco

Questa sera ad ore 21 precise

Grande serata in onore del Cav. UFF. ANGELO MUSCO. con

I Fratelli Ficicchia

(I Ratanzau)

Riduzione in 3 atti di L. Capuana

Seguirà uno scherzo comico per finale.

Domani: BENEFICENZANDO... ultimo commedia in 3 atti di Pippo Marchese.

Cinema Olympia

Grandioso successo dei celebri

Fantocci Santoro

Questa sera il ripete l'importante programma.

La partenza per la guerra, bozzetto patriottico in 1 atto.

Il Ballo Excelsior 1o. e 3o. quadro.

In cinematografo:

Serie della guerra Europea. L'invasione tedesca del Belgio ed altro importante programma.

Imminente LA VEDOVA ALLEGRA data dai Fantocci Santoro.

Piccola cronaca

Stato Civile

Denunzie di morte del 1 luglio 1915:

Santini Innocenza di ignoti mesi 1 — Percolla Eugenio d'ignoti mesi 1 — Italo Giovanni d'ignoti giorni 19 — Rotano Antonino fu Pietro anni 60 — Santagati Giseppe di Stefano anni 23 — Messina Benedetto di Orazio mesi 10 — Burini Nunzia di Rocco mesi 10 — Genovese Nunzio fu Carmelo anni 62 — Cotugno Giacomina fu Achille anni 23 — Russo Elena d'ignoti anni 4 — Calogero Rosario di Domenico mesi 8 — Fidatella Gaetano anni 95 — Torre Giuseppe di Carmelo mesi 2 — Nicotra Angelina di Giovanni mesi 11 — Romeo Viaccura di Pasquale anni 2 — Grancagnolo Catreina di Paolo mesi 8 — Cusmano Guglielmo di ignoti mesi 7 — Sangiorgio Sebastiana fu Salvatore anni 59 — Rapisarda Carmela fu Francesco anni 58 — Ajello Angela di Pietro mesi 8.

Francesco Grasso — gerente responsabile

TIPOGRAFIA CATANIA

La guerra

La maggior parte degli attacchi tedeschi in Francia respinti

Telegrafano da Parigi, 1:

Il comunicato ufficiale delle ore 23 dice:

Sulle rive dell'Yser e a nord di Arras azioni di artiglieria.

Giornata calma fra l'Oise e le Argonne.

Nelle Argonne, dopo un combattimento ininterrotto di tre giorni, i tedeschi hanno attaccato le nostre posizioni fra la strada di Binarville e il *Four de Paris*.

Essi respinti due volte sono riusciti soltanto nel loro terzo attacco a porre piede in alcuni elementi delle nostre linee verso Bagatelle.

Del resto sono stati respinti ovunque dopo un violento combattimento.

Vi è stato un bombardamento sul fronte a nord di Verdun, al bosco di Ailly nonchè nella regione di Metzeral.

Le operazioni nei Dardanelli

Rilevanti perdite degli ottomani

Telegrafano da Parigi, 1:

Dopo il nostro successo del 21 giugno le truppe francesi non hanno impegnato che azioni particolari destinate a consolidare e ad stendere i guadagni realizzati.

Esse hanno occupato parecchie nuove trincee ed hanno collegato mediante lavoro di zappa le opere conquistate alle linee precedentemente tenute.

Parecchi contrattacchi del nemico sono stati respinti.

Il 27 l'ala sinistra britannica, appoggiata dalla nostra artiglieria, ha ottenuto un grande successo.

Dopo un intenso bombardamento essa ha preso di assalto su alcuni punti quattro linee turche ed ha progredito di circa 1500 metri ha occupato all'estrema sinistra una posizione elevata alla altezza di Krithia ed ha fatto 180 prigionieri.

Un contrattacco nemico nella scorsa notte è stato annientato. Le perdite nemiche sono considerevoli.

Gl'inglesi hanno oltrepassato il limite dell'avanzata prefissa

Telegrafano da Londra, 1:

Un comunicato ufficiale sulle operazioni nei Dardanelli dice:

Un attacco della fanteria inglese il 28 prese cinque linee di trincee ad ovest del burrone Saghirdere, due linee ad est del burrone stesso.

Qui però l'ala destra inglese incontrò una forte opposizione e non potè avanzare.

Tuttavia le truppe indiane si impadronirono di un importante collina ad ovest di Krithia. Tutti i contrattacchi turchi fatti nella notte successiva furono respinti con gravi perdite per turchi.

Il guadagno totale degli inglesi sulla ala destra turca è di mille metri, molto al di là del limite dell'avanzata proposta si dapprincipio.

I tedeschi tentano uno sbarco a Vindava

Un combattimento navale fra russi e tedeschi — Una torpediniera affondata

Telegrafano da Pietrogrado, 1:

Un comunicato dello stato maggiore del generalissimo del 28 dice:

Una squadra di navi tedesche, comprendente una corazzata, una guardacoste, quattro incrociatori leggeri e parecchie torpediniere, bombardò il porto di Vindava e tentò di effettuare una operazione sulla costa, ma fu respinta.

Una torpediniera nemica saltò in aria urtando contro una mina.

Le nostre torpediniere impegnarono un combattimento di artiglieria con gli incrociatori e le torpediniere nemici, proteggenti le operazioni contro Vindava e li costrinse alla ritirata.

Nella regione di Chavli, sui fronti del Niemen e del Narew, e sulla sinistra della Vistola vi fu calma.

L'offensiva nemica tra i fiumi di Veprz e Bug, sul fronte Zamostie-Sokal continua.

Sul Bug occidentale e sulla Guilalipa il 28 ed il 29 respingemmo con successo alcuni attacchi.

Respingemmo inoltre il passaggio del nemico attraverso il Dniester.

Presso Kalich prendemmo l'offensiva e respingemmo il nemico facendo alcune centinaia di prigionieri.

Nel Caucaso

Telegrafano da Pietrogrado, 1:

Il comunicato dello stato maggiore dell'esercito del Caucaso dice:

Il 28 nella regione del litorale vi fu fuoco di fucileria.

In direzione di Olty il tentativo turco di trincerarsi sulla riva sinistra del Tortumtchai non ebbe successo.

Il nostro fuoco disperse il nemico.

Alle 2 del pomeriggio i turchi attaccarono monte Chei Dag ma furono costretti a ritirarsi sulle loro posizioni.

A sera i turchi rinnovarono l'attacco del monte ma furono nuovamente respinti. Nel resto del fronte nessun cambiamento.

La guerra nelle colonie

Telegrafano da Londra, 1:

(Ufficiale) Operazioni militari ebbero luogo ad ovest del lago *Victoria Nyanza*.

Un distaccamento partito dalla linea formata dal fiume Kagera al sud di Uganda si diresse traverso la regione ragionò su Bukoba, situata ad una distanza di trenta miglia.

Un altro distaccamento, che a bordo

Corriere di Sicilia

Provincia di Catania

Da Linguaglossa

Alla ricerca di un marito e la caccia al terzo.

28 giugno 1915

Nino Battaglia fu studente, non fortunato però, egli, tralasciando le aridità e le astruserie delle varie materie, oggetto di studio, si diede a coltivare il sentimento che meglio ammazza il tempo, e, tra una lezione e l'altra, tra gli innumerevoli sbadigli fantasticando, si invaghì perdutamente di una ragazza, non assolutamente indifferente ai suoi sorrisi ed alle sue premure galanti.

Gli avvenimenti incalzanti ben presto precipitarono. Nino, e, forse, anche Lei, avevan premura di giungere, e l'estrema risoluzione fu presa e la fuga concordata ed effettuata.

Ella giurò che furono poste delle condizioni e furono fatte delle promesse; egli protesta che si parlò solo del presente senza pregiudicare il futuro, nei misteri reconditi del quale egli dice di non esser capace di spingervi lo sguardo ed il pensiero. Fatto sta che consumato il sacrifizio, si venne alla querela di ratto consensuale, e, quindi alla conseguente condanna.

Credette Nino di aver saldato così il conto con la società e con la coscienza, e che ci fosse anche un diritto sacro come tutti gli altri per il violator della legge che affronta il giudizio degli uomini e ne sfida e sconta la pena; se non che la tradita — chiamiamola anche così — non seppe rassegnarsi alle riparazioni turlupinatrici delle leggi sociali, e, forte del suo potere, riuscì a strappare una richiesta formale di matrimonio, il relativo bando e l'autorizzazione del Tribunale non essendo possibile quella dei genitori, poichè Nino... è anche minorenne.

Il padre di questi, però, formalmente lo impegnava, intanto, con una sua parente ed avvalendosi delle facoltà che la potestà paterna gli concede, faceva formali richieste di matrimonio al Municipio, e perchè la merce non fosse soggetta ad avarie la ritirava al sicuro in casa.

Nino allora volle pigliare la sua decisione, anche lui, andò a Castiglione e formalmente si prometteva ad una terza.

La situazione così cominciava a diventare piccante ed imbarazzante per gli interessati, strana e curiosa per il volgo.

E di che non si occupa il volgo?

La promessa-sposa n. 1 intanto, sapendo che la n. 2 si trovava in casa di Nino e che questi aspirava al n. 3, credette opportuno cingerne di assedio la casa, ed insieme con la madre onde evitare una sortita ed una sorpresa, incrociò per tutta una notte intera dinanzi al portone e nelle adiacenze.

Il volgo senza esser richiesto, togliendosi alle noie ed agli sbadigli delle botteghe e dei ritrovi, volle prendere parte allo strano assedio e cominciò a schiamazzare e ad urlare sino a notte avanzata coprendo di insulti e di villanie il povero Nino; e rompendogli con una fitta sassaiola il sonno ed i vetri delle imposte.

Fin qui nulla di male poichè Battaglia i vetri non li compra, anzi li vende; ma il volgo presto suole trascendere quanto crede di porre alla ombra della sua protezione i deboli e quando ritiene di dover tutelare l'onore delle proprie figliole con la violenza della sola protesta, e si dovette ricorrere allo intervento dell'Arma Benemerita per sedare il tumulto onde evitare che Nino e la n. 2 fossero imbottigliati e completamente murati in casa, tanta quantità di pietre avevano portato i tumultuanti; alcuni dei quali devono rispondere ora di contravvenzione e di reati, e qualche altro di istigazione e che so io e quello che è peggio nessuna delle belle ragazze di cui la serie non si è potuta esaurire col numero tre, detesta i Nini, e chiamarsi con tal nome comincia a diventar euna jattura se non una disgrazia in paese.

Da Grammichele

Comitato di Preparazione Civile

29 giugno 1915

Il gruppo Magistrale, presieduto da quell'ottimo insegnante che è il prof. Francesco Vacirca, continua la sua opera umanitaria ed efficace di preparazione civile, e nessuno dei componenti di esso vuole essere secondo ad altri nel rendersi utile.

A cura del Gruppo è stato aperto un ufficio d'informazioni e di segreteria, indicato al pubblico oltrecchè da un largo avviso a caratteri grossi, dalla bandiera che fiammeggia al balcone ed è commovente osservare nelle ore pomeridiane una fitta teoria di persone, per lo più donne, che si recano all'ufficio per la compilazione delle lettere da spedire ai loro cari — combattenti sul fronte — per avere spiegazioni dagli insegnanti di ambo i sessi, e questi, dopo avere nelle ore del mattino impartito la solita lezione agli allievi, sono costretti poi a fare dei corsi di geografia popolare a madri, sorelle, a mogli di soldati, che vogliono vedere, coi loro occhi, sulle carte, il punto dove può trovarsi il loro congiunto e poi vogliono segnato il luogo preciso dove sorge Trieste, divenuta il sogno, l'aspirazione ardente di tutti.

Ogni domenica il gruppo magistrale prepara una sorpresa, che per quanto modesta, serve ad elevare sempre più il sentimento patrio; distribuzione di coccorde tricolori, vendita del libro verde; ieri pubblico l'avviso col quale si annunziava l'apertura del dopo-scuola e dei ricreatori per tutti i bambini dai sei ai 12 anni appartenenti alle famiglie dei militari richiamati; figurarsi la gioia delle buone madri, che sanno così di non essere dimenticate.

Sappiamo che i signori insegnanti hanno già stabilito di tenere delle serate cinematografiche a beneficio delle famiglie bisognose dei militari e a tal uopo si sono, per essere autorizzati, rivolti da parecchi giorni, allo illustre signor Provveditore agli Studi, che, in questa storica ora dà prove elevate di patriottismo ed ha saputo nobilmente comunicare il suo entusiasmo e la sua fede nel cuore di ogni insegnante.

Provincia di Caltanissetta

Da Caltanissetta

30 giugno 1915

Comando del Presidio militare

Riceviamo dal comandante del Presidio la seguente lettera:

Le sarei grato se volesse ospitare queste poche righe che più che da esempio superiore son dettate dalla nausea e dal senso di rivolta che sprigiona l'anonimo in ogni anima onesta, e dal desiderio che il turpe sistema possa, messo al bando, intristirsi e non gettare ombre malevoli su una popolazione nobilissima della quale mi onoro essere ospite.

Pervengono a questo comando lettere anonime tendenti a mettere in luce l'una o l'altra irregolarità da parte di chi ha contatti con l'Autorità militare, o su argomenti che hanno con essa relazione.

Mentre questo comando, nello interesse del servizio e della giustizia, non ha nulla in contrario per prendere in considerazione con la massima discrezione qualunque coraggiosa e leale comunicazione esso non può a meno di avvertire che cestinerà le denunzie anonime, le quali portano sempre il marchio della insinuazione anche se suggerite da fine del bene cui pretendono ispirarsi.

dev.mo

Luigi Gangitano

Ten. Colonnello Com.te del Presidio e del Deposito 76 Fant.

Uniamo il nostro biasimo a quello del Comando del Presidio contro gli anonimi che sono le armi dei vili o dei paurosi, che non avendo il coraggio di affrontarvi vi colpiscono alle spalle.

Sapevamo già precedentemente da private informazioni ch euna vera raffica di anonimi imperversava sui tavoli dei comandi militari, anche divisionali, per fatti più o meno veri e dimostrabili Ma non avevamo voluto portare in pascolo al pubblico un sì delicato affare.

Ora però che l'illustre comandante del Presidio rompe autorevolmente il silenzio, anche noi ce ne occupiamo e occorrendo ce ne occuperemo in seguito per mettere alla gogna i miserabili che dietro le siepi dell'anonimo fanno fuoco contro fame in temerate e superiori a qualunque sospetto.

Funzione per il trionfo delle armi italiane.

Ieri, nella chiesa di S. Sebastiano, è stata tenuta una solenne, commovente cerimonia, per propiziare la vittoria delle armi italiane.

La Chiesa era letteralmente gremita di popolo e di soldati.

Vi intervenne anche il Comandante del Presidio tenente colonnello Gangitano, con gran numero di ufficiali.

Dopo una distribuzione di medagline ai soldati, ebbe luogo la funzione religiosa, mentre uno scelto coro cantò la preghiera del papa, che finora non era stata eseguita in nessun'altra città d'Italia.

Dopo impartita la benedizione eucaristica, il can. Gangarelli pronunziò una conferenza sul tema: «Religione e Patria».

Una tragedia fra contadini

Un grave fatto di sangue è avvenuto nel pomeriggio di ieri in contrada « Arcieri » a Pietraperzia.

Sorse una questione per la precedenza della misura dei cereali in due aie.

Il contadino Martorana Francesco, di anni 20, esplose a bruciapelo, due revolverate contro La Cusolo Salvatore, di anni 40, ferendolo mortalmente al braccio e all'addome e sparava pure contro il genero di quest'ultimo, Giardina Vinvenzo, di anni 30, ferendolo al fianco sinistro, riuscendo poscia a fuggire.

Il Lo Cunsolo cessò di vivere subito dopo mentre il Giardina versa in grave stato.

Sul luogo della tragedia è accorsa l'autorità.

ALLA RIBALTA

POLITEAMA PACINI

"Lumie di Sicilia,,

Un atto di L. Pirandello

L'annunziarono novità interessante, e fu interessantissima. Il pubblico esultò in Vascillo, Musco fu evocato ben sei volte alla ribalta, si voleva anche l'autore, ma Pirandello, che è uno degli autori più fortunati del nostro teatro vernacolo, trovasi a Roma, e non potè raccogliere l'omaggio dei suoi corregionari.

Il fine atto, spoglio da ogni fittizioso intreccio, fu presentato assai bene, ed altrettanto bene fu gustato dal pubblico, che accorse numeroso ad ascoltarlo.

Micucciu, suonatore di flauto, è un tipo di provinciale ingenuo.

Ha lasciato il suo paese natio, ed ora lo vediamo negli appartamenti della celebre canzonettista *Sina Marnis*, a reclamare da lei la promessa fattagli, di sposarlo quand'egli al paese le aveva scoperto il segreto tesoro della sua gola, lanciandola sulla via della gloria.

Ma Teresa, la sua Teresa, non è più la timida bambina che arrossiva nel porgere la fronte al suo bacio di fidanzato; ora è la canzonettista, che veste in «decollè», fuma la sigaretta, ed ha degli amanti.

Micucciu, non crede ai suoi occhi, eppure nella sua ingenuità non ha la percezione dell'abisso scavatosi fra lui e Teresa.

Ma Teresa si rivela, nell'accoglierlo, e quand'egli ha compreso, la triste verità, se ne torna accasciato, nauseato — Teresa è indegna di lui — al tetto natio, dopo aver donato, alla *Za Marta*, la madre della cantante, i limoni, che egli aveva portato dalla sua Sicilia, quale modesto, simbolico regalo per la sua Teresa.

Questo il grazioso gioiello che Pirandello ha donato al teatro siciliano, e che a Musco diede agio di creare questo nuovo tipo, del *Micucciu*, con quanta efficacia, lo ha detto — e come! — il pubblico.

Tutti con lui cooperarono, e con fervore alla riuscita del lavoro, la Joje, la Giulia e la Vittorina Campagna, il Colombo, e persino... perchè no? persino i macchinisti — poveretti è raro il caso che ci si occupi di loro — che montarono con sfarzo la grandiosa scena.

* * *

Paraninfu, l'eterno *Paraninfu* — ebbe il solito successo.

Stasera avremo la serata in onore di Angelo Musco, con *I Ficicchia*.

Il teatro è in gran parte prenotato; il caro e buon Angelo vedrà quanto i suoi concittadini gli sono affezionati.

Domani la tanto attesa novità: *Beneficenzando...* del nostro Marchese, il cui titolo ha avuto il magico effetto di mettere in orgasmo chi non ha la coscienza pulita in questi momenti.

Ma coraggio, lo ripetiamo, la satira del nostro Marchese è generica, e riguarda il vecchio tema della carità mondana.

Cr

nella pagina accanto:

Cr., *Politeama Pacini. "Lumie di Sicilia".* "Corriere di Catania", Catania, 2 luglio 1915 (prima interpretazione di Angelo Musco di un testo di Luigi Pirandello)

Il Politeama Pacini

Turi Pandolfini e Angelo Musco nel loro primo successo: *Lu Paraninfu* di Luigi Capuana
Milano, Teatro dei Filodrammatici 12 aprile 1915

Luigi Pirandello

Angelo Musco in *Pensaci, Giacomino!*

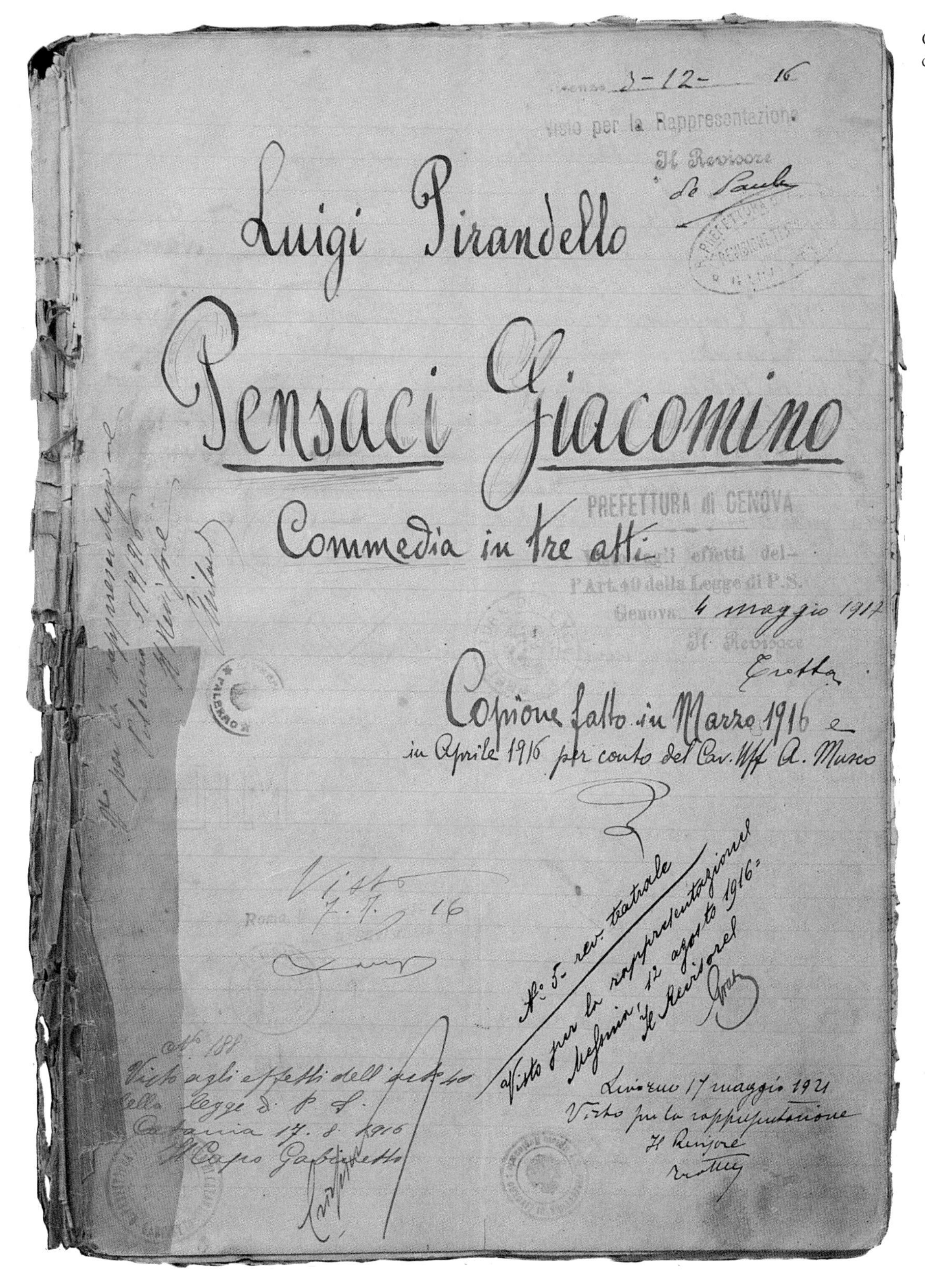
3-12- 16
Visto per la Rappresentazione
Il Revisore

Luigi Pirandello

Pensaci Giacomino

Commedia in tre atti

PREFETTURA di GENOVA
Visto agli effetti del-
l'Art. 40 della Legge di P.S.
Genova 4 maggio 1917
Il Revisore
Grotta

Copione fatto in Marzo 1916 e
in Aprile 1916 per conto del Cav. Uff. A. Musco

Visto
Roma 7. 7. 16

N° 5 rev. teatrale
Visto per la rappresentazione
Messina, 12 agosto 1916
Il Revisore

N° 188
Visto agli effetti dell'art. 40
della legge di P. S.
Catania 17. 8. 1916
Il Capo Gabinetto

Livorno 17 maggio 1921
Visto per la rappresentazione
Il Revisore

Copione di *Pensaci, Giacomino!* di Luigi Pirandello

nella pagina seguente:

lettera autografa
di Luigi Pirandello a Angelo Musco
(senza data, forse 24 luglio 1916)

Lettera autografa
di Luigi Pirandello a Nino Martoglio

Roma, 10. III. 1916.

Caro Nino,

ho finito la commedia per Musco: "Pensaci, Giacomino!" – Credo che sia riuscita bene. Vorrei leggertela, per avere il tuo parere. Come? quando? Se potessi trovare un'oretta, domani, o lunedì... o quando vuoi. Di mattina, o di dopo pranzo, o di sera, a tuo piacere... Ti aspetto domani. Se non puoi, avvisami quando potrai venire.

Con fraterno affetto

tuo

Luigi

Fratelli Treves

SOCIETÀ ANONIMA PER AZIONI CAPITALE L. 1.000.000 INTERAMENTE VERSATO

LIBRERIA INTERNAZIONALE

DEPOSITO ESCLUSIVO DI PUBBLICAZIONI UFFICIALI

Telefono 29-84

Roma, li .... 191...

Corso Umberto I, 174, 174-a, 174-b

Caro Musco,

no: non c'intendiamo. Io non chiedo elemosine di repliche, per vostra norma. Era obbligo vostro, avendo messo in iscena la mia commedia di lunedì, presentarla la domenica al pubblico delle recite diurne. Non l'avete fatto nè la prima, nè la seconda domenica. Mi concedete invece una serata stracca alla vigilia della vostra serata d'onore. Grazie tante! Una simile concessione m'offende di più: è come dare l'òbolo a un mendicante. Dovreste comprenderlo; e se non lo comprendete, ve lo faccio comprendere io.

Ripeto, non c'intendiamo. Avevo dato incarico a Nino Martoglio di ritirare il copione tanto di "Pensaci, Giacomino!", quanto delle "Lumie di Sicilia". Insisto. E insisto appunto per l'annunziata replica di domani sera, la quale, ripeto, m'offende più di qualunque altra cosa.

Così, ora e per sempre, mi licenzio da voi

Luigi Pirandello

Turi Pandolfini e Rosina Anselmi in Pensaci, Giacomino! di Luigi Pirandello

Nelle pagine seguenti:

G.M. [Giuseppe Meoni], *«Pensaci, Giacomino!», di Luigi Pirandello al Nazionale*, "Il Messaggero", Roma, 11 luglio 1916.

Tom [Eugenio Checchi] *«Pensaci, Giacomino!», di Luigi Pirandello al Teatro Nazionale*, "Il Giornale d'Italia", Roma, 12 luglio 1916.

M.C. [Mario Cassi] *«Pensaci, Giacomino!», di Luigi Pirandello*, "La Tribuna", Roma, 12 luglio 1916.

a.t. [Adriano Tilgher] *«Pensaci, Giacomino!», di Luigi Pirandello al Teatro Nazionale*, "La Concordia", Roma, 12 luglio 1916.

Informazioni

Il Consiglio dei ministri

Per l'onomastico del re di Serbia

Pasic indisposto

Pei servizi sanitari in guerra

Alti encomi alle guardie di finanza

Pei supplenti postelegrafici

Per la sovraimposta terreni e fabbricati

Per il credito agli enti locali

La creazione di un istituto nazionale

Il segretario dell'Unione sindacale milanese ricevuto da Bissolati

L'improvvisa morte dell'on. Pozzi

MILANO, 10.

La premiazione degli aviatori a Venezia

Un discorso di D'Annunzio

VENEZIA, 10.

Vivano Italia e Francia! Viva il Re! ».

Un telegramma di Boselli

Il sindaco conte Grimani ha ricevuto il seguente telegramma:

« Ringrazio la Vostra Signoria illustrissima tutta la cittadinanza di Venezia, che — come dissi in Parlamento — dà così mirabile esempio di patriottismo, e ne traggo auspici che la difesa nazionale, già così feconda di rinnovamento morale e di fervore patriottico, produrrà la maggiore grandezza e gloria della patria nostra diletta. — Boselli ».

Cronache giudiziarie

TRIBUNALE MILITARE TERRITORIALE

Il processo degli imboscati

Processi per citazione diretta

Il processo contro l'on. Caso

BARI, 10.

TRIBUNALE PENALE DI ROMA

Il furto del duca d'Aragona

Ruberie in Campidoglio

CRONACHE TEATRALI

"Pensaci Giacomino!" di Luigi Pirandello al "Nazionale"

g. m.

La "Traviata" al Costanzi

"L'onore di John Glayde" al Quirino

Varietà

La "Sinfonia tessile" di Sgambati eseguita a Perugia

LETTERE DALLA RUSSIA

L'imposta progressiva

PIETROGRADO, ...

Il Consiglio dell'Impero si è finalmente deciso a condurre in porto la legge dell'imposta progressiva sul reddito, la terribile riforma a cui gli elementi conservatori di tutti i paesi di questo mondo hanno fatta e fanno l'opposizione più fiera, come a quella che, toccando sul vivo la loro sensibilità economica, sembra racchiudere in sè un presupposto politico e sociale nettamente rivoluzionario.

L'ha condotta in porto più nolente che volente, com'era naturale; sotto l'imposizione delle circostanze, forse anche un poco sotto la pressione dell'opinione pubblica; per le insistenze del Governo, e specie del ministro delle Finanze; ma non senza aver tentato tutti i mezzi, prima per seppellirla, poi per emendarla entro i limiti del possibile; non senza aver fatto chiaramente capire, per bocca dei suoi elementi di destra, che l'accettazione di una simile legge doveva considerarsi essenzialmente come un atto di magnanimità e di abnegazione delle classi abbienti, sempre pronte a sacrificare i loro interessi per quelli della patria, e non come l'ammissione d'un principio sociale profondamente avverso alle «basi incrollabili» del regime e alle «classi privilegiate» dell'impero.

ARMANDO ZANETTI.

La "Royal Society of Literature" e Gabriele D'Annunzio

Il maggiore Maliaverr caduto per la Patria

I NUOVI MINISTRI: Quello della Marina

Ammiraglio CAMILLO CORSI

Gli annessionisti tedeschi

I futuri confini secondo il Cancelliere

Zurigo, 11 luglio.

La questione irlandese

Dichiarazioni di Asquith

Londra, 11 luglio.

NOTE D'ARTE

Xilografie di L. Viani

"Il nuovo Convito"

Le squisito fascicolo è arricchito di meravigliose illustrazioni dell'Abruzzo montano; ed è edito dallo «Stabilimento dell'Arte della stampa» a Pescara.

A. G.

Pensaci Giacomino! di L. Pirandello

al Teatro Nazionale

TOM.

Spettacoli di questa sera

Sala Umberto I

ERCOLE CORATTI

Studente in medicina

S. E. il

Comm. GIUSEPPE PERFUMO

Primo Presidente di Corte d'Appello

TULLIA IACOBACCI ved. SALA

Cav. Prof. GASPARE BASILE

I TEATRI

LE NOVITÀ AL «NAZIONALE»

"Pensaci, Giacomino!"

di L. Pirandello

Sala Umberto I

Teatri di Roma

SPETTACOLI del 11 luglio

TEATRO COSTANZI

LA TRAVIATA

TEATRO MORGANA

TEATRO MANZONI

TEATRO QUIRINO

L'onore di John Glayde

Una manifestazione popolare

CRONACA DI ROMA

S.P.Q.R.

L'atroce pavimentazione del Tritone

I nuovi assessori

La farina

Il pane

ALL'ACCADEMIA DI FRANCIA

Besnard-Mercier-D'Annunzio

Comunicazione al pubblico

A Bagni di Montecatini

E l'avena?

La carne

L'abilità di un tramviere

Per chi va a Messina

La Ditta cav. Raffaele Sacco nominata fornitrice di S. A. R. la Duchessa d'Aosta

L'Hotel Imperial - Roma

Grave caduta da un carretto

Un arresto al viale Aventino

ASTERISCHI

I casi di estrema pietà

Un errore fatale

Grave investimento ciclistico

Tentato suicidio al Verano

Gli sconforti amorosi di Michelina

Bevo la tintura di iodio

Un ubriaco si svena fuori Porta S. Lorenzo

Sparizione misteriosa di gioielli

Le questioni del giorno
e la stampa italiana

"Il Messaggero,,

[illegible] del Comitato di propaganda della nostra guerra e delle nostre aspirazioni, che il Governo sta organizzando perchè consenta all'on. Raimondo di esprimere al riguardo con eloquente scetticismo. Secondo il deputato di San Remo, perchè tale propaganda sortisca qualche frutto bisognerebbe che il Governo la smetta di fare la Sfinge ed informi il Paese, gli Alleati e i neutrali di quello che vuole, di quel che pensa intorno nei limiti d'un benintese patriottismo. L'on. Raimondo, infatti, scrive:

Il Governo può anche pretendere che i cittadini gli facciano credito di un'illimitata fiducia, ma non può pretendere che facciano altrettanto i cittadini di altre nazioni e di altre stirpi con cui siamo, o verremo a trovarci, in contatto. Non si domanda che l'on. Sonnino metta in piazza i suoi negoziati e i suoi progetti; si domanda ch'egli compia in buon punto il suo silenzio ermetico, esaltato alla Camera dall'on. Boselli, per quel tanto che è necessario e ad agitare una campagna in difesa dei nostri interessi che all'estero sono così spesso contraddetti e addirittura trascurati.

Qualche verità spiattella frattanto per conto suo l'on. Raimondo:

I paesi balcanici sono quasi tutti nostri nemici, e non è escluso in modo assoluto che lo diventino tutti domani. Qual'è l'atteggiamento che [illegible] far prevalere nell'opinione pubblica italiana, quali sono i mezzi per ottenere all'estero che di quest'atteggiamento si riconosca la necessità e la giustizia?

Lo scrittore rivela una sua delusione che [illegible]:

Il grandissimo avvenimento, che da tempo [illegible] e si annunzia ora, dopo un mese di travolgente riscossa dei russi formidabilmente armati, si è compiuto col trattato russo-giapponese da cui sono decise, per quel ch'è [illegible] contemporanei, le sorti dell'Asia. L'Inghilterra ha realizzato colla Russia quello che fu per un momento il disegno di Napoleone alla vigilia della guerra del 1812: soltanto allora non c'era di mezzo il Giappone. Noi non possiamo non rallegrarci sinceramente di tutto ciò che i nostri alleati considerano come una loro vittoria: ma non ci resta proprio che la parte dello spettatore che batte le mani?

Ci sono uomini nel Parlamento e fuori, nella stampa e nel paese, che di queste e di altre questioni si sono occupati con amore e con intelletto, ma obbligati ad aggirarsi per forza nell'incertezza di formule generiche e poco concludenti. A queste iniziative deve darsi unità d'indirizzo, illuminando stimolando e correggendo: altrimenti a che cosa si riducono, se non ad una parola vana o irragionevole, la collaborazione tra Governo, Parlamento e Paese?

L'on. Raimondo conclude:

In somma, e in una parola, ne abbiamo abbastanza di ciambelle e di brindisi al trionfo finale, alla libertà dei popoli, ai diritti delle nazioni; se nel Parlamento troppo spesso si alternano le invettive grossolane e le frasi da comizio, una parte di responsabilità spetta pure al Governo che non ha voluto nè saputo adottare ed imporre all'attenzione dell'assemblea alcuno dei problemi militari, politici ed economici che sono i «dessous» della guerra.

Tutti rilievi giusti ed opportuni questi, ma perchè l'on. Raimondo non prospetta un programma di quella propaganda ideale di cui si dice assertore?

Il "Corriere della Sera,,

afferma sull'autorità di Luigi Einaudi che i cambi internazionali sulla Svizzera tendono a migliorare e compila i seguenti specchietti dei guadagni e delle perdite percentuali delle varie monete in confronto al franco svizzero considerato base.

Ecco il corso dei cambi dell'Intesa durante l'anno 1915-16:

Fine del		Inghilterra	Francia	Italia	Russia
Giugno	1914	pari	pari	pari	[illegible]
[illegible]	[illegible]	[illegible]	[illegible]	[illegible]	[illegible]

Ecco quello degl'Imperi centrali:

Fine del		Germania	Austria-Ungheria
Giugno	1914	[illegible]	[illegible]
[illegible]	[illegible]	[illegible]	[illegible]

Ed, infine, si consideri il corso dei cambi delle Potenze neutrali:

	Spagna	Stati Uniti	Stati scandinavi	Olanda
[illegible]	[illegible]	[illegible]	[illegible]	[illegible]

"L'Avvenire d'Italia,,

[illegible] pretesto dal trattato russo-giapponese firmato in questi giorni, per esaminare le relazioni fra i due Paesi e per scoprire il valore reale di questo accordo fra le grandi potenze europee e la maggiore potenza asiatica. [illegible] Pietro Silvio Rivetta, scrittore [illegible] e brillante, dotato

derci notizie e di fare valutazioni che hanno il sapore di vere e proprie rivelazioni.

Il Rivetta ricorda anzitutto il dogma principale della politica giapponese.

Le azioni mutano pure a seconda del momento ma le intenzioni non cambino col tempo.

e poi dimostra come ad esso i «piccoli gialli» abbiano tenuto fede:

La politica espansionista iniziata felicemente colla guerra cino-giapponese del 1894-95 e felicemente continuata con la guerra russo-giapponese proprio un decennio dopo 1904-1905, lo spingeva più che non all'alleanza coll'Inghilterra, a non lasciarsi sfuggire un'altra occasione che a un decennio di distanza ancora 1914-1915 vi si presentava. Il Giappone assalì e prese il possedimento germanico di Kiao-Ciao, ma per esso la politica giapponese di espansione veramente orientale, anzi, se il termine è creabile, nipponcentrica, si poteva profilare con certezza che tutta l'azione diretta di belligeranza se sarebbe limitata laggiù.

Ricorderemo che le unità navali tedesche si mossero dalla costa orientale e quasi attraversando l'arcipelago giapponese si diressero nell'alto Pacifico. La flotta giapponese allora con si mosse per inseguire e sopraffare con la sua schiacciante preponderanza numerica la *Scharnhorst*, la *Gneisenau*, il *Nuernberg*, il *Leipzig* e il *Dresden* nè gli alleati pensarono di incolpare di fellonia l'ammiragliato nipponico. Un'azione simile avrebbe assorbito un'altra flotta di condotta che il Giappone si era prefissa e che gli alleati non potevano non conoscere. Con l'occupazione di Tsintau incominciava per il Giappone una seconda fase la quale, pur utilissima agli alleati, per il blocco commerciale, per il rifornimento e per la polizia dei mari, era nipponicamente considerata che commerciale.

Nè diverso carattere riesci nel la cooperazione del Giappone all'Intesa, anche quando questo

nel secondo semestre del 1915 cominciò ad avere nella guerra europea una parte analoga a quella degli Stati Uniti del Nord-America, col vantaggio formale di essere un non neutrale e così, da tributario della vecchia Europa, come esso era tanto in capitali che in mercanzie, il Giappone divenne rapidamente un paese creditore grazie alla esportazione considerevole di prodotti giapponesi e alla riduzione della importazione dei prodotti europei. Esso potè creare all'estero e specialmente in Europa delle forti disponibilità.

La guerra ha avuto sulle finanze del Giappone il benefico effetto che non solo esso ha potuto rimpatriare una grande frazione dei prestiti contratti all'estero ed a costituirli man mano parzialmente con prestito all'interno, ma ha irrobustito la sua circolazione fiduciaria ed ha accresciuto considerevolmente i suoi incassi in oro a Londra, a Parigi e a New York. Il Giappone agricoltore si è trasformato con una rapidità meravigliosa per un paese in via di divenire creditore di fronte all'Europa.

Ma l'appetito viene mangiando:

Al Giappone così trasformato non potevano più bastare le clausole del trattato anglo-giapponese, quando le sue condizioni internazionali e finanziarie potevano permettergli uno slancio anche maggiore.

La coincidenza della guerra con una straordinariamente abbondante raccolta di riso, ebbe un effetto miracoloso sulla finanza nipponica. Il Giappone poteva entrare in condizioni diverse nella fase politica, la quale cominciò con una veemente campagna giornalistica contro il trattato anglo-giapponese. Tutta una campagna che la stampa alleata islamicamente miope volle ignorare timorosa di guardare nei canocchiali nel dubbio di scorgere il Giappone uscire dall'orbita dell'*Entente*, mentre uno sguardo ben fisso laggiù avrebbe potuto vedere qualche cosa di assai meno allarmante: un semplice *revirement* del Giappone sempre però rimanendo nell'ambito dell'*Intesa*. Un fenomeno di polarità verso la Russia in sostituzione della antica direzione britannica.

La compagna ha conseguito il suo scopo.

Finchè la Russia ebbe la speranza nella successione al Sultano di Costantinopoli o almeno la speranza per assicurarsi per gli stretti un libero sbocco verso il Mediterraneo essa non ebbe che una intenzione secondaria negli affari dell'est. Il trattato di oggi è verosimilmente per il Giappone la conclusione ultima del trattato di Portsmouth dopo la guerra cino-giapponese. La Russia si oppose a che il Giappone avesse la Manciuria i vantaggi territoriali che la pace di Shimonoseki gli concedeva. Durante la rivolta dei Boxers nel 1900 i rivoltosi invasero la Manciuria ed una convenzione fu conclusa fra la Russia e la Cina per la quale l'amministrazione politica e militare era posta sotto il controllo russo. Allora le altre potenze protestarono e la Russia ritirò la sua convenzione.

Per un'altra convenzione, quella dell'8 aprile 1912 la Manciuria era riconosciuta parte integrale dell'impero cinese, convenzione che da parte della Russia era veramente formale lusingandosi quella russificazione della Manciuria che doveva trasformare Mukden che nel 1897 era un gruppo di catapecchie e che divenne città russa, centro del commercio mancese. Ciò diede luogo a quelle relazioni coll'Inghilterra e gli Stati Uniti e precisamente con maggiore intensità, il Giappone che dovevano culminare nel conflitto 1904-1905. La Pace di Portsmouth fu l'inizio della cessione al Giappone della politica russa dell'estremo est. Il trattato di oggi ne è il compimento, ma non è per questo che esso rinuncia ad ogni politica asiatica, ma soltanto convalida in parte della tendenza comune-orientale di essa.

Va rilevato in proposito che

il secondo articolo del trattato parla di diritti territoriali e di interessi particolari nell'Estremo Oriente ma non dettaglia quali siano questi diritti e questi interessi dei quali implica il riconoscimento. Tempo fa, quando il trattato pervenne a noi sotto la forma di un accordo, i capoaldi sembravano essere della più grande importanza. Chè anche nel testo del trattato non sia la stata qua lo scopo dell'alleanza e evidente e tale sembra anche nel *Nowoje Wremja* ed è sempre che appunto si distingue per la bandiera di un colpo che qualche parte di antitesi, l'alleanza russo-giapponese. Coordinare quella col trattato di oggi e volerne vedere come il risultato di una triplice. Giappone, Inghilterra e Russia e volere spingere il più lontano possibile il pericolo del caffè giallo e più largamente il profitto. [illegible] dalla grandezza. [illegible]

[illegible]

la cosa sembrava che la Russia lasciasse la Cina alla completa mercè del Giappone, non solo ma si faceva garante che nessuna altra potenza si sarebbe opposta ad una eventuale azione a mano impegnandosi in tal caso ad intervenire a fianco del Giappone. Ora basta gettare uno sguardo alla politica dell'Estremo Oriente, dalla guerra Cino-Giapponese fino ad oggi, per riscontrarvi una continua energica azione da parte delle potenze d'Europa intesa a limitare l'espansione nipponica. La storia dell'ultimo ventennio è storia di quotidiane restrizioni alla iniziativa del Giappone, così non nel campo politico soltanto, ma anche nel campo commerciale. Qualora dunque tale fosse il provvedimento contemplato dall'accordo quale è precedentemente conosciuto, esso implicherebbe la rinuncia da parte del governo moscovita. Nella seconda metà del XIX secolo la politica russa era divenuta assolutamente asiatica, e adesso in senso lato e non solo estremo-orientale.

Ma c'è qualcos'altro e di molto importante che il trattato odierno ha regolato

Il 31 agosto 1907 fra la Russia e l'Inghilterra si veniva ad una convenzione per regolare la situazione del Tibet e dell'Afganistan affinchè gli inglesi non vi organizzassero una supremazia ed opere militari dirette contro il Turkestan. La Persia era divisa in due zone di influenza, una del nord riconosciuta ai russi, l'altra al sud protetta dagli inglesi. Ciò può essere una garanzia di pace per noi. Ma ora nuovi elementi sorgono a mutare questo equilibrio orientale. I russi e gli inglesi combattono a Santo e sbarrano la via al pericolo teutonico, ma questo equilibrio risulta ora spostato. Nel trattato in parola si arriva alla costruzione di una muraglia assai più forte che lunga della famosa muraglia cinese, al di là è la costa asiatica, al di quà quello che potremmo chiamare l'Asia Europea perchè ancora riservata alla influenza bianca.

Col trattato russo-giapponese, la Russia ha voluto per seguire quella politica al di là di quella muraglia e si inulta ad esercitare la sua influenza al di quà, facendo del Giappone, di fronte quasi una potenza europea. Il suo primo atto di potenza europea è stato di garantire nel trattato la propria supremazia al di là della muraglia, non come la Russia che come potenza europea, e col po' a mezzo di tutte le potenze europee e necessariamente anche della Germania, nel riconoscere quel principio, sa domani al Giappone il diritto di proclamare per l'Estremo Est una propria dottrina di Monroe.

Esportazioni rumene proibite

ZURIGO, 10.

Si ha da Bucarest che il Governo rumeno ha proibito tutte le esportazioni in Bulgaria e in Francia.

ARTE E SPETTACOLI

"Pensaci Giacomino!,, di LUIGI PIRANDELLO al Teatro Nazionale

Non vorrei molto indugiarmi sulla novissima commedia di Luigi Pirandello, rappresentata iersera per la prima volta al *Nazionale*, perchè francamente, alla poca gioia provata nell'udirla non ne ho sentito di aggiungere quella, davvero minore di un lungo riassunto. Nè, del resto, un lungo riassunto è necessario per far comprendere di che si tratta a chi non fu a teatro iersera.

Giunto alla veneranda età di quasi settant'anni, di cui ben trentaquattro spesi insegnando storia naturale nel ginnasio di una cittaduzza di provincia, il professore Agostino Toti concepisce l'originale progetto di prender moglie allo scopo di vendicarsi del patrio governo che l'ha sempre tenuto a stecchetto, obbligandolo a pagare alla sua vedova una sua pensione chi sa per quanto tempo. Naturalmente, egli non vuole e non può essere, per la donna che sarà sua sposa, altro che un padre affettuoso e benevolo: a lei non chiede carezze, che l'età gli vieterebbe di ricambiare, ma soltanto un po' di compagnia e d'assistenza filiale.

Per tradurre in atto il suo progetto, egli ha pensato a Luzzidda, la giovane figlia del bidello della scuola. Interpellato, il padre di lei è felicissimo di consentire al matrimonio, che tirerà la figliuola dalla miseria e le assicurerà un discreto avvenire. Il guaio è che Luzzidda confida al professore di essere l'amante di Giacomino, antico allievo di lui, e lo scongiura di interporre i suoi buoni uffici presso i suoi genitori, perchè le facciano sposare l'innamorato, tanto più che non c'è tempo da perdere, essendo già in via il frutto dei suoi amori.

Il professore, sconcertato dall'inattesa rivelazione, non sa che fare, e rivela la cosa ai genitori di Luzzidda, i quali infuriano contro la figlia, che ha disonorato il loro nome e mandato per aria il bel progetto di matrimonio col vecchio, e la scacciano brutalmente di casa. Ecco giunto per il professore il momento di riprendere le fila del suo progetto, un momento spezzato: egli raccoglie presso di sè Luzzidda, e poichè i suoi non la riconoscono più per figlia, farà da padre e da marito a lei e, compito prima non previsto, da nonno al nascituro. E se la sposa.

Poi, come se non bastasse, fa di tutto perchè Giacomino frequenti la sua casa ed abbia per la signora Toti le stesse affettuose premure che in passato aveva avuto per la povera Luzzidda. Si è formata così una strana famiglia: il professore, marito di Luzzidda dinanzi alla legge, fa un po' da padre, un po' da suocero a Luzzidda e Giacomino, di cui favorisce, incoraggia e protegge gli amori. Nella compagnia dei due giovani e del loro piccino egli trova quell'atmosfera tiepida di dolci affetti famigliari, che gli era sempre mancata nella sua vita solitaria di vecchio scapolo. La sua coscienza di galantuomo non trova nulla da rimproverargli nella sua condotta: sereno ed imperturbato, egli tira per la sua strada, dividendo la sua vita fra scuola e casa.

Manco a dirlo, in paese il nuovo e stranissimo *ménage* ha suscitato un vero scandalo, ha provocato le più violente ed esasperate proteste: in scuola e fuori, è un fioccare d'ingiurie, di sarcasmi, di beffe sul conto del professore, di sua moglie e di Giacomino. La cosa giunge al punto che il direttore della scuola trova necessario d'intromettersi e di pregare il professore di chiedere il suo collocamento a riposo: ma quello, duro. La sua coscienza non ha nulla da rimproverargli, quindi per nulla al mondo egli vorrà dare alla gente la soddisfazione di farle cantar vittoria. Vogliono guerra? Ebbene, egli accetta la guerra! Invano i suoceri tentano fargli presente il supremo ridicolo, di cui egli copre i suoi ed i loro capelli bianchi: il professore non cede.

Il guaio è che Giacomino, di stomaco meno duro di quello del professore, ad un certo momento non sente più la forza di resistere al ridicolo. Assediato dalle preghiere di sua sorella e del confessore di lei, egli acconsente a troncar le visite a casa del professore, e, tanto per farla finita, si fidanza con una signorina del paese. Il professore, che vede Luzzidda ammalarsi pel dolore dell'abbandono, e che si sente straziare il cuore al pensiero che Giacomino voglia lasciar lui, che pure gli vuol tanto bene, che si ha tanto beneficato, che lo considera come figlio, non esita ad andarlo a trovare a casa per intimargli di ritornare da Luzzidda. Invano Giacomino lo prega di lasciarlo in pace, di lasciar per sè il suo affetto, di farla finita con una situazione ridicola e falsa. Il professore gli replica tranquillamente che, se c'è del ridicolo, questo non ricade nè su lui nè su Giacomino, il quale sa quanto puro e disinteressato sia il suo affetto di padre per due giovani e pel loro bambino.

Messo alla tortura, Giacomino rivela al vecchio di essere fidanzato. Allora il vecchio insorge con violenza contro di lui. Egli non ha il diritto di abbandonare così una donna, di cui assunse la profonda onestà, e di non curarsi più del bambino, che è venuto su [illegible]. Egli non ha il diritto di formarsi una famiglia, perchè questa famiglia l'ha già.

[illegible]

gusto vorrà disconvenire che questa commedia (meglio si direbbe, con parola che accenna ad avere fortuna, questo grottesco) di Luigi Pirandello è il prodotto dell'esacerbazione dell'esasperazione caricaturale degli elementi fondamentali dell'arte pirandelliana. In fondo, Pirandello è tutto in questa commedia: in essa vediamo chiaramente la ricetta ed il formulario della sua produzione artistica tutta quanta, ricetta, formulario, facili a scoprirsi, facilissimi ad imitarsi. La vita sociale dell'uomo è una rete intricata e fittissima di azioni, nelle quali noi possiamo distinguere un doppio lato: interno ed esterno, individuale e sociale. Il primo che rispecchia e riflette l'intenzione dell'agente, la sua volontà vera, lo spirito e l'anima della sua azione; il secondo, quello che rispecchia e riflette le ripercussioni sociali ed esteriori che questa può avere. Tra il lato interno ed il lato esterno delle azioni, tra l'intenzione dell'agente e le ripercussioni esteriori della sua azione, tra lo spirito intimo che questa porta in sè e l'aspetto con cui essa si presenta al giudizio ed all'apprezzamento degli altri uomini, l'umanità si sforza d'introdurre un rapporto di eguaglianza, la maggiore possibile. Si stabilisce così un equilibrio tra l'interno e l'esterno, tra la moralità e la semplice legalità, equilibrio il quale è naturalmente instabile in sommo grado e minaccia continuamente di rompersi. Accade spesso che, a un dato momento storico, quella che prima era forma adeguata di un'azione, rispecchiante pienamente il suo contenuto spirituale, divien lettera morta, guscio vuoto senza contenuto, legalità farisaica che si erge contro la moralità interiore e minaccia di soffocarla. Donde una lotta fra interno ed esterno, tra spirito e lettera, moralità e legalità, lotta che mira a creare una nuova lettera che rispecchi meglio lo spirito, una nuova legalità che rifletta più pienamente e più degnamente la moralità dell'agente. Il progresso dell'umanità non consiste che in questa perpetua adeguazione della lettera allo spirito, della legalità alla moralità, dell'esterno all'interno.

Ora, tutta l'arte del Pirandello consiste nello staccare con un taglio netto, brutale, chirurgico l'interno dall'esterno, la legalità dalla moralità, e di quel tutto vivente che è la vita morale e sociale fare due tronconi mutilati, deformi, irriconoscibili, che per gioco egli oppone l'uno all'altro, e di cui si diverte a mostrare tutta la grottesca falsità. Poichè, isolato violentemente dall'esterno, l'interno diventa esterno a sua volta: come la pura legalità, senza spirito e senza moralità, diventa farisaismo, un'azione che non tenga conto alcuno delle sue ripercussioni esterne, dell'aspetto con cui essa si presenta al giudizio degli uomini è azione di folle e di maniaco. L'arte del Pirandello non tende affatto a mostrare una nuova anima, che una forma esteriore è inadeguata a contenere: egli si diverte puramente e semplicemente a staccare le anime dai corpi, e ad esibire le contorsioni esasperate dei tronconi così mutilati. E' arte di ozio e di divertimento, senza contenuto profondo, senza serietà morale, senza interessamento vivo allo spirito ed ai suoi problemi. Gli sciocchi possono scambiare per profondità il sorriso ironico del Pirandello sui suoi personaggi, ma chi ha buon gusto non si lascia ingannare. Ridotte a manichini, le persone divengono ridicole, e si fa presto a riderne. Ma questo riso non cela un'intenzione profonda di bene, una nostalgia di vita spirituale più alta e più degna, esso è fine a sè stesso, basta a sè stesso, non ha nulla al di sopra di sè. Arte statica, non dinamica, di chi si adagia, non di chi procede oltre.

In *Pensaci Giacomino!* noi vediamo all'opera la ricetta pirandelliana: da una parte il professore, che non dubita di dar di cozzo contro la società ed i suoi pregiudizi, pur di fare quello che crede il bene; dall'altra la società che protesta in nome dei suoi pregiudizi offesi. Tutti i personaggi sono falsi e antipatici: i rappresentanti della società (i genitori di Luzzidda, la sorella di Giacomino, il suo confessore) e i rappresentanti dell'individualismo (Giacomino e Luzzidda). Questi sono odiosi e ripugnanti non meno di quelli, e non meno di quelli assurdi e falsi. I genitori di Luzzidda consentono da prima al matrimonio del professore: se non si acconciano allo strano *ménage* progettato dal professore, è per paura del ridicolo e della ribellione della gente, non per disgusto del senso morale offeso. Giacomino e Luzzidda sono due figure ripugnanti ed abbiette e Pirandello lo ha sentito tanto bene, che se ne è servito il meno possibile.

Il professore è tipo ambiguo. A volte, Pirandello ne ride, nel primo atto ma nei due atti successivi non osa riderne più, e parteggia apertamente per lui. Allora la commedia, che poteva salvarsi, precipita apertamente in malo modo. Il professore cessa di essere un personaggio grottesco, per divenire un pazzo degno di compassione, e non di disprezzo. Per ciò stesso perde tutto il suo significato di campione dello spirito contro la lettera, di difensore della vera moralità contro l'esteriore legalità. Egli ci fa perfino schifo: egli poteva benissimo beneficare Giacomino e Luzzidda, facendoli sposare fra loro e vivendo con essi come un padre ed un amico. La sua insolita opposizione alla società non era necessaria per questo diventa abbietta [illegible] e ripugnante.

La commedia perde qualunque interesse [illegible] le dramatis personae sono burattini [illegible] che Pirandello si diverte a muovere come gli pare. Non c'è vita, non c'è che l'arbitrio dello scrittore, che gioca follemente con le creature della sua fantasia. Manca qualunque necessità nei svolgimenti e delle azioni [illegible] dell'arte.

[illegible]

[illegible] un personaggio [illegible], barbero, [illegible] riuscì [illegible]: il Falconi, il Colombo, il Carrara, il Campagna, l'Anselmi, la Campagna [illegible] degno di ogni lode.

Accolta [illegible] nei primi due atti, la commedia vide rinnovare al terzo le sue sorti. Mentre il grosso degli spettatori [illegible] del Nazionale [illegible] e cercava al di fuori un po' di sollievo alla noia ed al caldo, una piccola claque [illegible] si sforzava ad acclamare all'autore, chiamando ripetute volte alla ribalta gli interpreti [illegible] che quelle brave persone!

a. t.

Stasera al teatro Costanzi: "Traviata,,

Dobbiamo per dovere di cronisti ancora una volta ricordare che stasera alle 21, si darà al Costanzi la prima rappresentazione della *Traviata*, protagonista la signorina artista Masini Lidia.

Gli altri principali interpreti sono: il giovane tenore Umberto Scafati, che il nostro pubblico ha già applaudito l'anno scorso nella parte di «Alfredo» e il bravo baritono Tavanti Corrado.

Una commedia di Sutro al "Quirino,,

Malgrado la coincidenza con l'interessante spettacolo lirico del «Costanzi» è proprio stasera che andrà in scena al teatro Quirino la nuova commedia in quattro atti *L'onore di John Glayde* di Alfredo Sutro, alla cui esecuzione la compagnia Carini e soci ha consacrato le maggiori cure.

Una nuova operetta al "Morgana,,

Domani sera, si darà al «Morgana» la prima rappresentazione de «Il Polo Sud» operetta del maestro Armando Mercuri su libretto di Lucio De Rosa.

Non si tratta infatti di uno dei soliti adattamenti musicali, ma di una vera operetta originale, di soggetto semi-fantastico.

Il Polo Sud è un soggetto bizzarro e sentimentale insieme, svolto con l'intendimento di offrire situazioni per una aggraziata e fresca musica d'operetta.

Notissimo nell'ambiente musicale italiano, il maestro Mercuri, è autore di varie altre opere che ebbero largo successo. Ricordiamo la *Cecilia* che critici autorevoli definirono «lavoro di un compositore geniale ed efficace» la *Provenza* che tenne assai onorevolmente il cartellone nella grande stagione lirica di Bologna del 1914-15.

Il Mercuri si schiera fra i pochi ardimentosi che vogliono riportare in onore la «commedia musicale» genere d'arte che fu gloria nostra e che è ora, quasi del tutto abbandonata. Si conoscono di lui parecchie buonissime composizioni vocali ed istrumentali.

Il Polo Sud fu rappresentato con schiettissimo successo a Napoli, Bologna, Genova e Torino.

Spettacoli dell'11 luglio 1916

COSTANZI. — (Grande stagione lirica): «La traviata», ore 21.

ADRIANO — (Compagnia Campioni-Bacrani): «I pezzenti», ore 21.30.

QUIRINO. — (Comp. drammatica Italiana): «L'onore di John Glaide» ore 21.30.

NAZIONALE. — (Comp. all'[illegible] A. Musco): «Pensaci Giacomino», ore 21.30.

MORGANA — (Compagnia d'operette Mauro): «Sua Altezza balla il valzer», ore 21.30.

SALA UMBERTO. — Spettacoli di varietà con Gabriella Fernand, ecc., ore 21.30 ore 21.30.

Un concorso per una "Madonna della pace,,

La Società milanese degli *Amici dell'Arte Cristiana*, nell'intento di portare un pratico contributo all'incremento dell'arte sacra e di offrire un nobile tema di studio agli artisti, ha bandito un concorso per un quadro che avrà per soggetto la rappresentazione della Madonna quale *ispiratrice e intercedatrice* della pace.

Pubblichiamo qui il regolamento:

Art. 1. — E' lasciata agli artisti ampia libertà nello svolgimento del soggetto e nell'adozione dei mezzi tecnici, purchè la composizione abbia un alto contenuto spirituale e una dignitosa forma di espressione. Il quadro può variare nelle dimensioni; converrà tuttavia che perfetto possa adattarsi a pala di altare.

Art. 2. — Il quadro che sarà ritenuto migliore avrà un premio di L. 2000 e rimarrà di proprietà del mecenate che ha messo tale somma a disposizione per il concorso. Il giudizio sarà dato inappellabilmente dal Giurì artistico della Società degli *Amici dell'Arte Cristiana*.

Art. 3. — La Società si adoprerà per far acquistare gli altri quadri reputati degni di avere posti negli altari, avendo già ricevuto qualche richiesta in proposito.

Art. 4. — Il Concorso è aperto dalla data di questo avviso a tutto settembre. Le opere verranno spedite alla Società *Amici dell'Arte Cristiana* in via Mainagna 6, Milano, e saranno esposte al pubblico per un mese in luogo da destinarsi. Prima del 31 agosto devono essere annunziate alla Direzione della Società con l'indicazione delle dimensioni.

Art. 5. — Le spese d'imballaggio e di spedizione restano a carico dell'autore, il reimballaggio e la riespedizione spettano alla Società. La Società si riserva [illegible]

[illegible]

ECHI INGLESI

La visita dei giornalisti italiani alla squadra. — Una nomina di Lord Curzon. — L'Inghilterra adotta il sistema metrico decimale con l'Italia.

LONDRA, 10.

[illegible]

nelle pagine seguenti:

autografo di *Liolà*

Angelo Musco in *Liolà* di Luigi Pirandello
Turi Pandolfini, «'u zu Simuni», in *Liolà* di Luigi Pirandello

Lio

Commedia

Luig

(Testo siciliano e

in lingua

là

sticana in tre atti

di

Pirandello.

raduzione a fronte

liana.)

Prim' attu

-

c.6

Appinnata tra la robba e lu magasè, la stadda e lu parmentu d'a zâ Cruci Azzara. 'Nfunnu, campagna cu ficudinnia, mènnuli, olivi. A manu dritta, sutta l'appinnata, la porta di la robba, 'na jttèna, 'u furnu. A manu manca, la porta d'u magasè, 'a finestra d'u parmentu e n'àutra finestra cu 'a grada. A mmuru, aneddi pi li vèstii.

È di sèttèmmiru, e si scaccianu li mènnuli. Supra du' banchi ad angulu stannu assittati Tuzza, la gnà Gesa, la gnà Càrmina 'a muscardina, Ciuzza, Luzza e Nedda e scaccianu a petra sutta e petra supra. 'U zû Simuni

Atto Primo

-

Tettoja tra la casa colonica e il magazz
la stalla e il palmento della zia Croce Az
ra. In fondo, campagna con ceppi di fichidi
mandorli, olivi. Lateralmente a destra, so
la tettoja, la porta della casa colonica, un ro
sedile di pietra, il forno. Lateralmente a sinis
la porta del magazzino, la finestra del palmen
e un'altra finestra ferrata. A muro, anelli
legarvi le bestie.

È di settembre, e si schiacciano le mand
Su due panche ad angolo stanno sedute Tuzz
la gnà Gesa, la gnà Càrmina la moscardi
Ciuzza, Luzza e Nedda, e schiacciano picchi
con una pietra la mandorla su un'altra pietra tenu

Quannu lu fai, nun lu fari muriri.
Tri, e unu quattru - e cci'nsignu a cantari!

—

Cala lu sipariu

—

- 203 -

Quando lo fai, non me lo far
Tre, e uno quattro - e gl'insegn

—

— Cala —

—

Da suggerire

R. PREFETTURA DI PALERMO

Nulla osta alla rappresentazione agli effetti dell'art. 40 della legge di P. S.

Palermo, lì 3 Settembre 1917

IL REVISORE

Liolà

Commedia in 3 atti

di

Luigi Pirandello

Cav. Uff. Angelo Musco

4 Febbraio 1918

2 Marzo 1917

PREFETTURA DI BOLOGNA GABINETTO UFFICIO DI REVISIONE TEATRALE

copione di *Liolà*

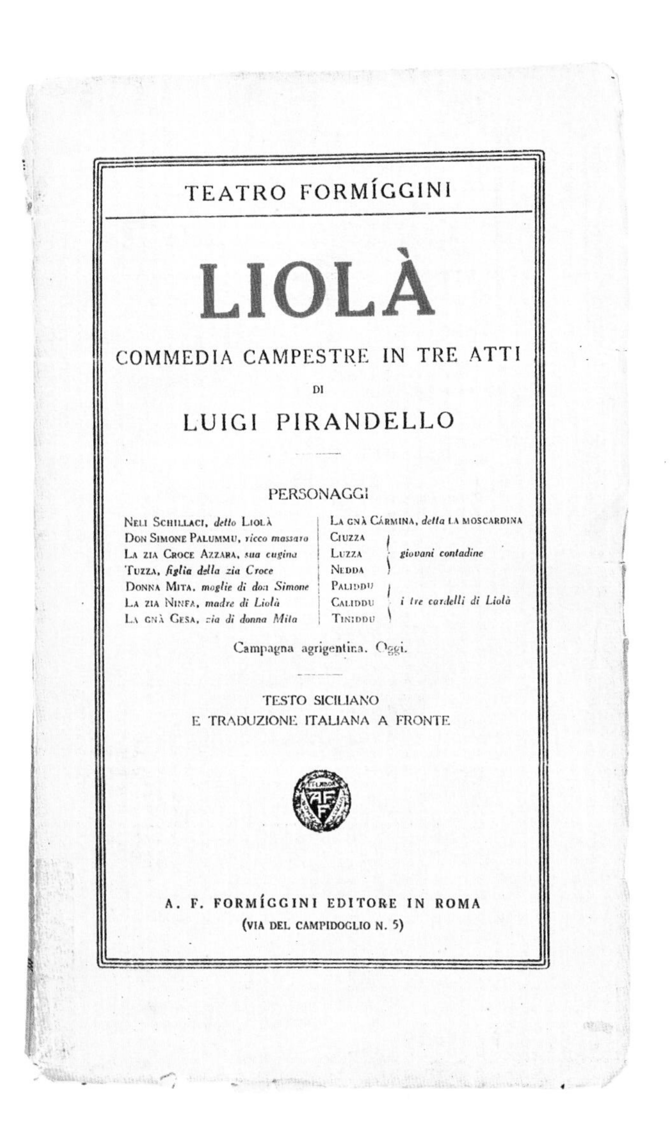

TEATRO FORMÍGGINI

LIOLÀ

COMMEDIA CAMPESTRE IN TRE ATTI

DI

LUIGI PIRANDELLO

PERSONAGGI

NELI SCHILLACI, *detto* LIOLÀ	LA GNÀ CÀRMINA, *detta* LA MOSCARDINA
DON SIMONE PALUMMU, *ricco massaro*	CIUZZA }
LA ZIA CROCE AZZARA, *sua cugina*	LUZZA } *giovani contadine*
TUZZA, *figlia della zia Croce*	NEDDA }
DONNA MITA, *moglie di don Simone*	PALIDDU }
LA ZIA NINFA, *madre di Liolà*	CALIDDU } *i tre cardelli di Liolà*
LA GNÀ GESA, *zia di donna Mita*	TINIDDU }

Campagna agrigentina. Oggi.

TESTO SICILIANO
E TRADUZIONE ITALIANA A FRONTE

A. F. FORMÍGGINI EDITORE IN ROMA
(VIA DEL CAMPIDOGLIO N. 5)

Roma, 8. IX. 1916

Caro Nino,

leggo nel "Giornale di Sicilia" che ti recherai a Palermo per la prima dell'"Aria del continente". Vorrei vederti e parlarti prima della partenza. Ho finito anche "Liolà" e vorrei leggertelo.

T'aspetto. E intanto fraternamente saluta il tuo

Luigi

Luigi Pirandello, *Liolà*, Roma, Formìggini, 1917
lettera di Luigi Pirandello a Nino Martoglio

nelle pagine seguenti:

La Compagnia Musco attorno a Luigi Pirandello all'indomani della prima di *Liolà*

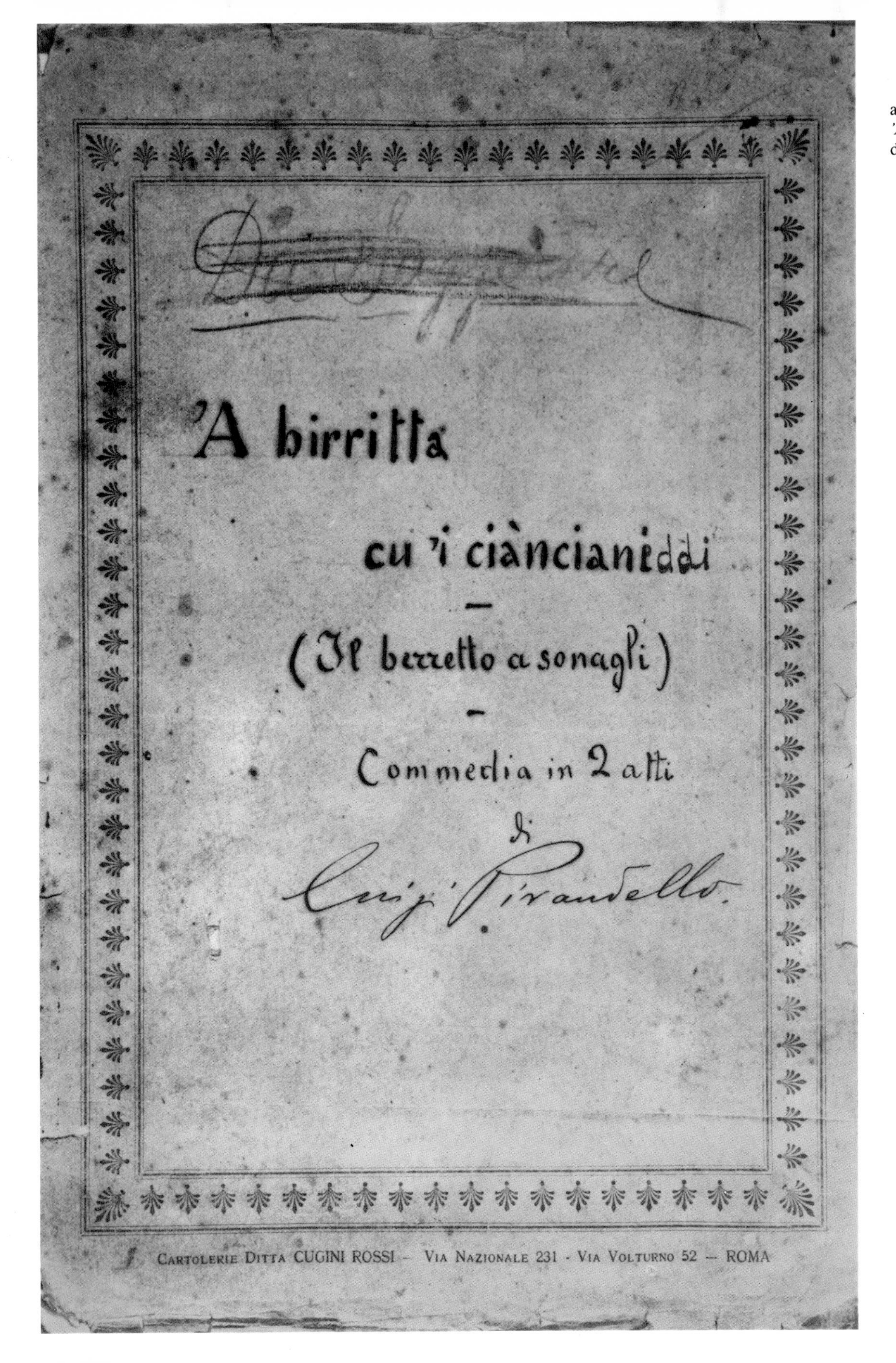

'A birritta

cu 'i ciàncianeddi

—

(Il berretto a sonagli)

—

Commedia in 2 atti

di

Luigi Pirandello.

Cartolerie Ditta CUGINI ROSSI – Via Nazionale 231 - Via Volturno 52 — ROMA

autografo di
'A birritta cu 'i ciancianedd
di Luigi Pirandello

Note per la rappresentazione.

– Don Nociu Pàmpina: 45 anni: capelli neri, un po' a zazzera, scomposti, con fiaccagote: senza baffi: due larghe basette tagliate a spazzola gl'invadono le guance fin sotto gli occhi riparati da grossi occhiali a staffa cerchiati di tartaruga: veste una vecchia redingote inverdita, un po' troppo corta di maniche; ma ha in compenso abbondanti polsini non molto puliti: parlando, se li tira fuori di continuo con le punte delle dita, cosicché di tanto in tanto è costretto a ritirarsi su le maniche della camicia dall'alto della spalla. Dice d'avere in testa tre zone, come tre corde d'orologio: la zona _seria_, la zona _civile_, la zona _pazza_: la prima, su la tempia destra; la seconda, nel mezzo della fronte; la terza, su la tempia sinistra. Nel dir così, con la mano destra chiusa come se tenesse tra l'indice e il pollice una chiavetta, fa l'atto di dare una mandata sul posto delle tre zone. Se dice, per esempio, _zona civile_, si dà una giratina in mezzo della fronte, e così via.

– La si-donna Beatrice Fiorica: 32 anni: donna isterica, gelosa; freme tutta: pallida, con occhi gonfi. Ha furie terribili e abbattimenti subitanei.

– La si-donna Assunta Labella: 68 anni; vecchia signora all'antica, magra, segaligna.

– Don Fifì Labella: 28 anni; bel giovanotto elegante, di mondo.

– Il Delegato Spanò: 40 anni, tipo buffo di delegato paesano, con arie eroiche, barbuto, capelluto, di tanto in tanto, parlando, s'imbeve tutto; canna d'India con manico di corno.

Personaggi:

Don Nociu Pàmpina |Angelo MUSCO|
la si-donna Beatrici Fiorìca |Signora ~~Libassi~~| M. Longo
la si-donna Assunta Labella, *sua madre.* |Signora Campagna|
Don Fifì Labella, *fratello.* |~~L. Colombo~~| G. Condorelli
Il Delegato Spanò. |Pandolfini|
Donna Rocca 'a Saracina |sig. Anselmi
Donna Sarina Pàmpina, *moglie di don Nociu.* |sig. [illegible]|
la gna Momma, *serva di donna Beatrice.* |sig. Marabito|
Vicini e Vicine di casa Fiorica.

–

In una cittadina della Sicilia meridionale, oggi.

–

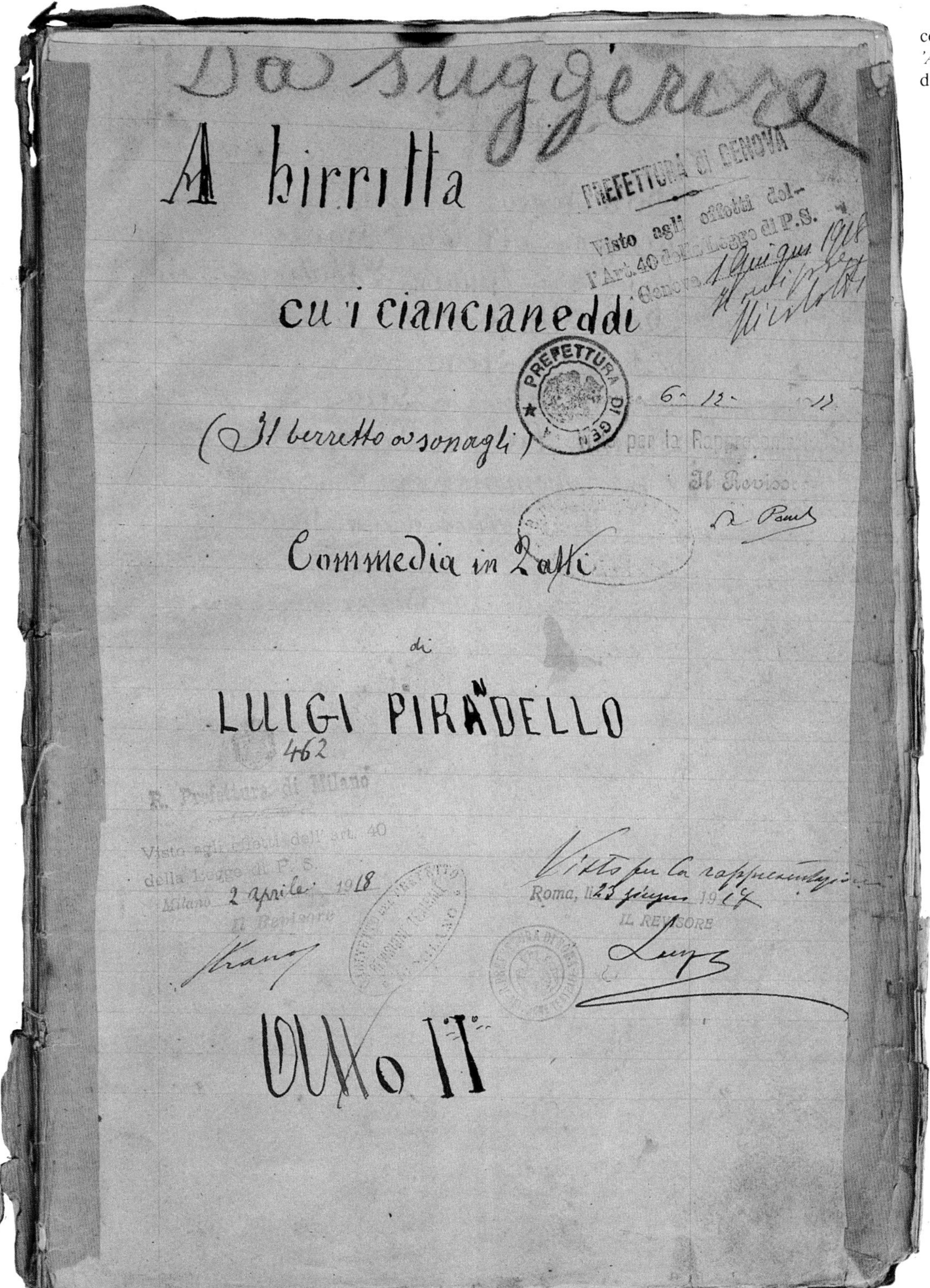
Da suggerire

A birritta

cu 'i ciancianeddi

(Il berretto a sonagli)

Commedia in 2 atti

di

LUIGI PIRANDELLO

462

PREFETTURA DI GENOVA
Visto agli effetti del-
l'Art. 40 della Legge di P.S.
Genova, 1 Giugno 1918

Visto per la Rappresentazione
Il Revisore

R. Prefettura di Milano
Visto agli effetti dell' art. 40
della Legge di P. S.
Milano 2 aprile 1918
Il Revisore

Visto per la rappresentazione
Roma, lì 25 giugno 1918
IL REVISORE

copione di
'A birritta cu 'i ciancianeddi
di Luigi Pirandello

lettera di Luigi Pirandello
a Nino Martoglio

Roma, 12 · VIII · 1916

Caro Nino,

ho finito la nuova commedia per Musco, quella in due atti, "'A birritta cu i ciànciani" (Il berretto a sonagli). Prima di spedirla a Catania, vorrei leggertela. Puoi passare da me uno di questi giorni, di mattina o di dopopranzo?

Ti aspetto.

Tuo con affetto

Luigi.

Foto di Angelo Musco con dedica «a Luigi Pirandello, devotamente».

nelle pagine seguenti:

lettere di Luigi Pirandello
a Nino Martoglio

Roma, 24. 1. 1917.

Caro Nino,

non so come non ti sia pervenuto, o piuttosto, non so perchè sia stato respinto il mio primo telegramma dell'altro jeri, indirizzato Martoglio Autori, non solo, ma per maggior sicurezza di recapito con l'aggiunta: Corso Venezia, 6, Milano. Sospetto che alla sede della Società qualcuno, interessatamente, avrà risposto al fattorino che tu vi eri sconosciuto. Non può spiegarsi altrimenti. È bisognerà che tu metta in chiaro la cosa. – Il fatto è che jeri mattina io fui invitato a recarmi da un avviso a stampa alla sede del-

Roma, 29. 1. 1917

Caro Nino,

ho ricevuto jeri la tua lettera, in seguito ai due telegrammi del giorno avanti, e oggi (domenica) ricevo la cartolina.

Sono contento che abbi deciso di dare "Scurn". Ma ciò che mi dici sugli umori del pubblico milanese e sulla serie di repliche, che prevedi ben scarsa a questo tuo veramente serio e capitale lavoro, mi scoraggia. È il ribadimento della condanna del Musco. È, nello stesso tempo, una riprova dell'inanità della mia opera. Musco è condannato alle farse. E quanto mi dici sul clamo-

Roma, 4. II. 1917.

Mio caro Nino,

lascia prima di tutto che ti faccia i più fervidi augurii fraterni per il tuo "Sciara". Son sicuro del trionfo, e vedrai che, oltre la critica, anche il pubblico risponderà e il dramma avrà una lunga serie di repliche. Ti prego d'annunziarmi l'esito telegraficamente per non farmi stare in ansia per un'intera giornata.

Rispondo ora punto per punto alla tua lettera.

1°) Le osservazioni di Grasso, se possono aver qualche valore, riguardo al suo temperamento artistico, a cui senza dubbio si confanno più gli atti che le parole, mi pare che non ne abbiano nessuno, riguardo al lavoro stesso, come opera d'arte. Non mi pare affatto che ci siano lungaggini. L'azione c'è; i discorsi degli altri personaggi son tutti necessari, come quelli del protagonista. La commedia, certamente, è scritta per Musco, e capisco che Grasso debba trovarsi a disagio in una parte che invece calza a pennello al Musco. Io t'ho già detto che *non sento* affatto il Grasso: il suo temperamento non m'ispira, è per me troppo primitivo e bestiale, mentre la mia arte è ri-

8 . II . 1917.

Caro Nino,

Sono a letto da 4 giorni. Febbre, influenza e, per giunta, una nevralgia alla bocca, con mal di denti, flogosi, un'ira di Dio! – Non ho carta da lettere e ti scrivo in queste cartelline.

Non puoi credere quanto dolore e quale sdegno abbia provato per l'esito di "Icaro"! Dolore per l'esito finanziario, sdegno per la critica. Il successo artistico non è mancato e non poteva mancare. Temo che tu abbia però svigorito un po' troppo il carattere della donna. Il dramma d'amore, certo, non doveva essere avanti al dramma dei due ciechi, ma questo esser fuso con quello. Non però in sordina. Ma anzi forte; di modo che il dramma dei ciechi acquistasse anche più forza dal dramma amoroso. Forse non per segni esteriori Mari' Latina debbe avvedersi della cecità di

M.C. [Mario Corsi], *«Il berretto a sonagli» di L. Pirandello,* "La Tribuna", Roma, 29 giugno 1917

I TEATRI

LE NOVITA' AL «NAZIONALE»

"Il berretto a sonagli" di L. Pirandello

Brunetière, se non erro, ha detto che il teatro è lo sviluppo di una volontà. Alterandone un po' il senso, senza toccarne la formula, si può dire che il teatro di Luigi Pirandello è veramente lo sviluppo della sua volontà. Tutta la sua opera multiforme, diversa, ironica e drammatica, tragica e fantasiosa, rivela del resto lo sforzo paziente, la potenza ordinata e cosciente di questo scrittore che non è uso fare al pubblico facili concessioni, anzi, ama affrontarlo con spirito di battagliera ostilità, e si serve dell'acutezza quasi crudele della sua osservazione, della forza epigrammatica della sua ironia, della sua conoscenza sicura delle risorse della passione, della originalità della sua dialettica, per disorientarlo e forzarlo a piegarsi alla sua volontà. Ad ogni commedia par quasi che Luigi Pirandello prenda per mano lo spettatore e autoritariamente gli dica: Devi seguirmi! Ed anzichè condurlo per la via maestra, gli fa prendere sentieri difficili, aspri, tortuosi, gli fa smarrire ogni orientamento, lo spossa senza fargli intravedere la meta e ad un tratto epicetamente lo abbandona a se stesso, come chi ha la certezza di non poter più oltre essere seguito e non è disposto a tornare indietro, o a concedere riposo. Nel cammino dell'arte questo significa aver forza di temperamento e probità assoluta. Ma sul teatro ha i suoi inconvenienti, e se un tale atteggiamento diventa sistema, allora può essere errore insistervi. Chi scrive pel teatro, deve fare del teatro: ciò non significa affatto servire i più bassi canoni del mestiere; Shakespeare, che era poeta sommo e pensatore grandissimo, lo ha ben provato. Fare del teatro non vuol dire solamente sprofondarsi nelle collutazioni dei drammi bernsteiniani, o nelle macchinazioni sceniche alla Kistemaekers, o nel baccano, dal riso senza galezza, di certi *vaudevilles* che tanto solleticano il gusto di certo pubblico: significa anche dare azione al pensiero, tradurre la parola in movimento, dare a delle idee, a dei principi, a delle concezioni della vita una struttura propria, un'armatura che si adatti all'arcoscenico e possa entrare nella comprensione visiva dello spettatore.

Luigi Pirandello, invece, si rifiuta — così pare almeno — non dico di ubbidire, ma di avvicinarsi a tali principi informativi, e nel teatro mantiene intatte, severamente rigide, le sue magnifiche virtù di novelliere. Dall'alto della sua torre egli guarda il mondo come uno sconfinato campo di osservazione, e materia poi la commedia come la novella di quella che è la sua amara filosofia della vita, e vi si abbandona ai suoi ragionamenti e, posto un quesito o un paradosso, lo discute e lo afferma, attraverso la dialettica del suo *humor*, non preoccupandosi affatto se il teatro ha limiti diversi dalla novella. Non ricorda che l'arcoscenico è sempre lo stesso, rigido, immutabile, e nella trasposizione dalla novella e dal romanzo dimentica di compiere un primo sforzo di adattamento.

Senza voler andare più oltre in un simile generico esame, diciamo che appunto questo ci è apparso iersera ascoltando la nuovissima commedia in 2 atti di Luigi Pirandello, *Il berretto a sonagli*. (*'A birrita cu i cianciameddi*).

L'autore di *Pensaci, Giacomino* ha voluto dare forma scenica a quella che sostanzialmente era una novella e che novella, anche nel dialogo teatrale, è rimasta. I personaggi, e principalmente l'autore per bocca di *Don Nociu*, per due atti parlano, parlano, rimanendo però fermi nella enunciazione dei loro aforismi. Il filosofo si è dimenticato quasi completamente del commediografo.

La trama del *Berretto a sonagli* si smarrisce nella dialettica indubbiamente originale e tutta fiorita di caustica profonda ironia del protagonista, il quale per due atti si affatica a dimostrare l'eterna antitesi nella vita tra finzione e realtà. In sostanza egli ci dice che ogni individuo ha una maschera e un volto, o come più precisamente spiega *Don Nociu*, ogni individuo ha il proprio pupo, che si è costruito da sè e lo guarda e lo difende gelosamente, non permettendo che altri lo infranga, lo calpesti. Da questo motivo, che *Don Nociu* espone con sottili e gustosi ragionamenti, e largamente commenta per due atti, muove la trama leggera e non sempre chiara del *Cappello a sonagli*. Il pubblico a più riprese ne rimase sbalestrato, non riuscendo sempre a collegare i fatti con le idee ed a seguire l'autore nel laberinto delle sue astrazioni filosofiche; ma poi la vivace sottile arguzia di certi ragionamenti, e sopratutto la irresistibile comicità e forza drammatica di Angelo Musco finivano per riprenderlo, e tanto al primo che al secondo atto applaudì con molto calore e chiamò complessivamente 5 o 6 volte alla ribalta interpreti ed autore. Questi però non volle presentarsi.

Dall'interpretazione eccezionale di Angelo Musco — il povero marito dalla gelosia altrui un giorno strappato alla sua umile felicità ed esposto crudelmente, senza ragione, quasi che in lui non fosse un cuore umano, alle risa ed al dileggio della folla, come un buffone dal berretto a sonagli — ho detto: a momenti superò se stesso, ma talvolta anche dimostrò di *strafare*, forse per riprendere il pubblico che sembrava sfuggirgli. Degli altri vanno in special modo ricordati l'ottimo Pandolfini, un gustoso delegato di polizia, la Anselmi, la Longo e il Condorelli.

Stasera *Il cappello a sonagli* si replica.

M. C.

LE NOVITA' AL «VALLE»

"Casa restaurata" di G. Cenzato

Serata in onore di Armando Gi[...]

Le bombe infernali tedesche

Nuovi arresti a Cristiania

[P]ropositi di guerra [...] austriaca

ALLA CAMERA UNGHERESE

L'esercizio provvisorio approvato con esigua maggioranza

Tempeste nel Gabinetto ungherese

GIORNALE D'ITALIA · VENERDI' 29 GIUGNO 1917 · P. 3

Teatri e Concerti

"Il berretto a sonagli" di L. Pirandello, al Nazionale

La nuova commedia di Luigi Pirandello, arguta e paradossale, rappresentata ieri sera da Angelo Musco e dagli altri suoi comici siciliani, fu con grande diletto ascoltata dal pubblico che gremiva il teatro, e ottenne un clamoroso successo. Ci furono applausi al termine degli atti e chiamate insistenti all'autore. Ma Luigi Pirandello, per mantener fede, crediamo, a una sua consuetudine, non si presentò alla ribalta: assisteva bensì alla rappresentazione, gustandosela tranquillamente da un palco di secondo ordine.

E la ragione del bizzarro titolo dato alla commedia? *Il berretto a sonagli* simboleggia l'uomo che è segnato a dito dalla folla, che è perseguitato da lazzi, da risate ironiche, da esclamazioni ingiuriose. Il protagonista della nuova commedia non porta in testa precisamente un berretto a sonagli, ma qualche cosa che ne tiene le veci: qualche cosa di permanente e d'irreparabile, che lo espone ai dileggi delle comari, degli sfaccendati, di tutta una città.

L'uomo dal berretto a sognagli è don Nuciu, impiegato nel banco di un ricco industriale e doppiamente disgraziato, anzi disgraziato quattro volte, perchè vecchio, brutto, geloso, e possessore di una moglie giovanissima e bella. Dalle quattro disgrazie messe insieme vien fuori la catastrofe che era facile prevedere: il più nero dei tradimenti: e chi tradisce lo sventurato marito è appunto il ricco industriale suo padrone. Questo signore ha una moglie, che le amiche e le comari informano della tresca. Costei, non impaurita dallo scandalo inevitabile, fa sorprendere i due dal delegato che è amico di famiglia: tutto il paese è subito informato, è in subbuglio, le grida ironiche, le male parole, i titoli ingiuriosi s'incrociano nell'aria, empiono del loro clamore la città, rivelano al marito ingannato che una corona di spine è venuta a inchiodarsi sulla sua testa.

Lo sventurato fugge, e corre alla casa del principale: ma il principale non c'è: è stato condotto provvisoriamente in arresto insieme con la sua complice: trova bensì la moglie tradita, i parenti di lei, e il delegato autore, diciamo così, del *sopraluogo*. Tutti si sforzano invano di dargli ad intendere che il verbale del fatto è negativo: che i due imputati stavano insieme, questo è vero, ma che il padrone era andato nel suo banco a sfogliare la corrispondenza, non altro. « Potrà anche essere », dice il marito: ma c'è stato scandalo, e lo scandalo uccide un uomo col ridicolo. Dunque, per evitarlo, spaccherà la testa alla moglie, sia colpevole o no, e ucciderà l'uomo che tutti credono sia l'amante.

Come si fa ad evitare l'eccidio? In un modo semplice: dando ad intendere che la gelosa moglie del ricco industriale, e causa prima di tanto scalpore indecente, è pazza, e che in un accesso di pazzia ha inventato la falsa storiella. Vada dunque per due o tre mesi in una casa di salute: tutti sapranno che è pazza.... e l'onore è salvo. »

Per arrivare a questo scioglimento l'autore aveva in precedenza empita la testa del suo protagonista con teorie strampalate: questa ad esempio: che ognuno di noi è giudice delle proprie azioni, dei propri difetti, dei propri vizi; che tutti abbiamo dentro di noi, nella coscienza, un certo *pupo*, riproduzione esatta del nostro *io*: ma noi soli abbiamo il diritto di trarlo fuori, di contemplarlo, di schiaffeggiarlo anche e di sputargli in faccia; ma tutti gli altri no: essi debbono rispettarci: a nessuno è lecito levarci di mano quel pupo, e vilipenderlo, e calpestarlo.

La conseguenza delle premesse, il bisogno cioè di sopire lo scandalo inventando una improvvisa pazzia, è un po' tirata con le tanaglie; il ragionamento, impigliatosi con le gambe fra i bastoni della logica, indespica alquanto: ma è svolto con tanta arguta sottigliezza, con immagini così piacevolmente paradossali e condite di tanto umorismo, di quell'umorismo in cui Luigi Pirandello è maestro, che il pubblico casca nella rete: e, pur sapendo di cascarvi, applaudisce con schietto entusiasmo.

Di quegli applausi una parte andava di diritto ad Angelo Musco, che seppe fondere insieme, con bella efficacia, il comico e il drammatico del complesso e un po' ingarbugliato carattere del protagonista. Ebbe anche lui un successo grandissimo.

La nuova commedia ha per cornice (la parola mi pare adatta) una piccola città della Sicilia, ed è scritta, naturalmente, in siciliano: ma le dicerie, i pettegolezzi, gli scandali che le danno vita, sono identici a quelli di qualsiasi altra città del continente. Tutto il mondo è paese.

Applaudii anch'io alla nuova manifestazione dell'ingegno eletto di Luigi Pirandello: ma, per una mia perversa abitudine di fantasticare, socchiudendo gli occhi e guardando il soffitto, credetti di scorgervi l'ombra corrucciata di un immortale, di colui che spese gli ultimi quarant'anni della vita per propugnare l'unità della lingua: non meno necessaria, diceva lui, della unità politica della nazione.

Era l'ombra di Alessandro Manzoni.

TOM.

"La casa restaurada" di G. Cenzato al teatro Valle

La "Rapsodia Satanica" di Mascagni

Una serie di concerti all'Augusteo

Gli spettacoli al Costanzi

La "Storia Sacra" nelle sc[uole]

Pare impossibile

Fra un inno e una battaglia

Versi di G. Mazzoni per l'Ortigara

ARMANDO ZANETTI.

Tom [Eugenio Cecchi],
«Il berretto a sonagli» di L. Pirandello, al Nazionale,
"Giornale d'Italia", Roma, 29 giugno 1917

Vice, *«Il berretto a sonagli» di Luigi Pirandello*, "Il Messaggero", Roma, 29 giugno 1917

IL MESSAGGERO — 29 giugno 1917 - Pag. n. 2

Cronache teatrali

Le novità al "Nazionale"

"Il berretto a sonagli" di Luigi Pirandello

Luigi Pirandello è ormai tra i più fecondi autori nostri; e mentre fa rappresentare commedie e drammi sulle scene di prosa italiana — poche sere or sono ha trionfato a Milano un suo lavoro in tre atti, *Così è*, nella magnifica interpretazione della compagnia Talli — non abbandona il teatro dialettale, e iersera Angelo Musco ha condotto felicemente alla ribalta una sua nuova commedia siciliana *'A birritta con 'i cianciareddi*, che il numeroso ed elettissimo pubblico accorso alla prima rappresentazione ha accolto con frequenti e calorosi applausi, invocanti invano alla ribalta — con gli attori — l'autore, che assisteva allo spettacolo, nascosto in un palco di second'ordine.

I due atti che compongono la nuova commedia si svolgono in un paesello della Sicilia meridionale; ma potrebbero, per verità, svolgersi in un qualunque paesello del nord o del sud, visto che tutto il mondo è paese nei riguardi di un piccante scandaletto originato dall'arresto in flagrante di una coppia adultera.

Un marito fatto becco con le debite cautele ha ancora diritto al rispetto del pubblico e dell'inclita; ma un marito patentato becco col clamoroso concorso di un delegato e delle relative guardie di P. S. — che per denunzia di una moglie offesa arrestano il marito infedele e la moglie del... disgraziato che non sapeva o, peggio, che sapeva e taceva — diventa *ipso facto* lo zimbello delle comari del villaggio, un uomo che porta il berretto a sonagli, che attira inscemma dietro di sè, ovunque passi, la folla sghignazzante, ferocemente caustica, implacabilmente crudele. Meritava questa feroce e insopportabile condanna don Nociu Pampina?

Buon uomo, in età avanzata aveva avuto il torto d'innamorarsi perdutamente d'una deliziosa fanciulla, alla quale aveva potuto offrire appena, con l'amore, una capanna. Gli sembrava di avere raggiunta la felicità quando il cavalier Florica, ricco possidente e attivo industriale del luogo, gli aveva offerto un posto di segretario di fiducia nel suo ufficio. Ma al cav. Florica più che don Nociu era piaciuta subito donna Sarina Pampina. E poi che il cav. Florica era giovane, elegante, ardito e ricco, donna Sarina non si era fatta pregar molto ad accettare le buone grazie del corteggiatore.

A don Nociu non era sfuggita la simpatia del padrone per la sua piccola colomba. Ma era il caso di fare il geloso furente? Che cosa poteva pretendere egli vecchio, povero, brutto da quella cara figliuola? Che non sorridesse nemmeno a chi le usava cortesie? Che mettesse alla porta l'ottimo cav. Florica, il quale non sapeva nasconderle la sua devozione? E come protestare, del resto, e minacciare se ad ogni accenno di lamentazione donna Sarina fugava con un bel bacio ardente ogni ombra di sospetto malevolo dal cervello del buon marito?

Ma non era di questo parere donna Beatrice Florica: esempio di furente e indomabile gelosia coniugale.

Nella sua mente esaltata il dubbio di una tresca fra il marito e la moglie di don Nociu era divenuta presto realtà; ed ella non ebbe pace fino a quando non potè compiere la sua vendetta con uno scandalo clamoroso. Suo marito doveva tornare l'indomani da una cittadina poco lontana. Donna Beatrice pensò allora che allontanando dal paese don Nociu il cav. Florica sarebbe corso fra le braccia di donna Sarina e che facilmente gli amanti avrebbero potuto essere sorpresi in flagrante adulterio. Detto fatto: don Nociu è spedito a Palermo; un delegato è nascosto nell'appartamento dei Pampina, ch'è accanto all'ufficio, comunicante con la casa del cav. Florica. Al momento opportuno intervengono le guardie, il delegato esce dal nascondiglio; e il cav. Florica e la signora Sarina sono accompagnati, in stato d'arresto, al commissariato.

Nel paese non si parla d'altro. Lo scandalo produce un enorme clamore di chiacchiere, di commenti, di frizzi all'indirizzo dei protagonisti. Imprecazioni dei parenti contro donna Beatrice per questo colpo di testa che ha gittato il nome dei Florica in pasto alla più perversa malignazione pubblica; lagrime di donna Beatrice, mezzo soddisfatta e mezzo pentita; scena... madre del reduce, di don Nociu, il quale appare in pietosissimo stato in casa Florica per chiedere spiegazioni dell'accaduto.

Il delegato e il fratello di donna Beatrice lo tranquillizzano: il verbale è negativo nei riguardi della flagranza dell'adulterio. Il cav. Florica ha giustificato la sua presenza in casa Pampina: era andato a chiedere la corrispondenza giunta durante la sua assenza. I calori estivi giustificavano le sottilissime vesti e il *decolleté* di donna Sarina. Dunque niente lagrime e niente tragedia; ma una deplorazione generale per la leggerezza di donna Beatrice, già pentita e desiderosa di riavere fra le sue braccia il marito.

Ma don Nociu non è disposto ad accontentarsi delle buone parole. Se donna Beatrice avesse parlato a tempo e si fosse ricordata che c'era un marito, lui, e gli avesse esternato i suoi sospetti, la cosa era facilmente accomodabile: don Nociu avrebbe fatto fagotto con sua moglie e nessuno avrebbe saputo nulla di nulla. Ma a scandalo avvenuto, che cosa vale un verbale negativo? La gente penserà che con i denari del cav. Florica si possono far redigere anche verbali... addomesticati: e dunque... dagli al becco! Questo non deve accadere: egli non vuol divenire un uomo ridicolo, un... serpente a sonagli; egli farà scorrere del sangue, ucciderà l'adultera e il cav. Florica. Nuove lagrime e proteste di donna Beatrice e dei suoi parenti.

— Ma se è stata una pazzia di una moglie gelosa, esclama il delegato.

— Ma se mia sorella è una pazza! — aggiunge don Fifì.

— Pazza? Oh idea luminosa! Oh soluzione ideale! O felicità generale!... esclama come vinto da una pazza gioia improvvisa, don Nociu. Così... così... può accomodarsi tutto. Il verbale negativo, la liberazione degli arrestati promessa dal delegato potranno soffocare il pettegolezzo paesano a un patto: che si sappia, che si dimostri come qualmente donna Beatrice sia veramente pazza. Ella partirà per rinchiudersi in un manicomio o, quanto meno, in una casa di salute, per due, tre, quattro mesi: e la sua pazzia salverà la mia reputazione, la mia felicità e la sua.

Donna Beatrice protesta. Ma la proposta di don Nociu finisce per trionfare. Donna Beatrice in un accesso d'ira inveisce contro don Nociu: becco! becco! becco! E don Nociu e i parenti in coro: E' pazza! è pazza! è pazza!

La scena si riempie, a questo punto, di curiosi, accorsi al gran gridare. Donna Beatrice è pazza! E sulla riacquistata pace di don Nociu cade la tela.

Morale: chi ha rotto... paghi.

Donna Beatrice, in un eccesso di folle gelosia, ha creato un grosso guaio alla sua famiglia e a quella del povero don Nociu. Ella sola ha da pagarne il fio: tre mesi di reclusione in una casa di salute. E poi vita nuova; senza nuove manie di scandali!

Come tutte le commedie e i romanzi e le novelle di Luigi Pirandello, anche questi due atti sono ricchi di amara filosofia, di osservazioni acute, di commenti paradossali, di umor sano e originale.

Quasi sempre nel protagonista del lavoro si nasconde, con le sue idee, con il suo spirito l'autore; e però don Nociu Pampina, che nel primo atto può essere sospettato di scempiaggine, se bene satireggi a quando a quando felicemente su le debolezze della vita umana, alla fine del second'atto ci sorprende con una difesa mirabilmente dialettica della sua causa — ch'è la causa di molti se non di tutti i mariti traditi ed esposti con eccesiva leggerezza al pubblico pettegolezzo — e riesce a far accettare dal pubblico una tesi ardita quanto razionale, rialzando le sorti del lavoro, che specie nella prima parte del secondo atto non interessa eccessivamente lo spettatore.

Don Nociu è la figura preminente del lavoro, e se il Pirandello l'ha costruita con grandi cure, il Musco l'ha interpretata con efficacia grandissima. Assai ben truccato l'attore impareggiabile ha trovato e reso felicemente spunti gustosissimi di comicità al prim'atto; e con una versatilità impressionante ha colorito l'angoscia estrema del marito tradito al second'atto. La signora Longo esagera alquanto. E non sappiamo come possano conciliarsi le sue smanie eccessive, al prim'atto, con l'intimo desiderio di donna Beatrice che vuol preparare nel perfetto segreto il tranello nel quale devono cadere don Nociu e la coppia adultera, quegli partendo e gli altri due riunendosi a convegno d'amore in piena tranquillità. Ben delineata la macchietta del delegato Spanò, che era l'ottimo Mandolini; e affiatati, come sempre, tutti gli altri, la Libozzi, prosperosissima donna Sarina, la Morabito, l'Anselmi e il Condorelli.

Vice.

"Casa restaurada" al Valle

Ebbe ieri sera liete accoglienze la nuova commedia di Giovanni Cenzato: *Casa restaurada*, rappresentata dalla compagnia veneziana di Emilio Zago, che recitò con la consueta valentia.

Eccone brevemente la tela:

Giacomo Sedin ha due figli: Raffaele, che egli crede un poeta degno di arrivare alla celebrità, e Maria che fa la maestrina.

Raffaele corrisponde malamente all'affetto paterno: passa le notti al giuoco, fa debiti, e porta in casa una ragazza — una pseudo poetessa — che egli presenta come sua moglie. Il padre, presta cieca fede a tutte le storielle che Raffaele inventa per occultargli la sua condotta e per carpirgli continuamente del danaro. In breve Giacomo è costretto a vendere il negozio e far qualche debito, che sua figlia Maria paga coi risparmi, che ha potuto accumulare dando lezioni.

La povera ragazza, desolata perchè vede la propria casa in rovina, cerca di richiamare il fratello sulla buona via, ma invano.

Un giorno Raffaele, avendo urgente bisogno di danaro, si fa dare duemila lire dal seduttore di sua sorella. Arriva però dal Brasile il cugino Alberto Armani, il quale ha fatto fortuna e, siccome è innamorato di Maria, non nega il suo valido aiuto alla famiglia di suo zio. Acquista possedimenti e mette a capo della sua azienda agricola il cugino Raffaele il quale — abbandonata ogni velleità poetica — si mette finalmente a lavorare seriamente.

Se non che Alberto viene a sapere del fallo di Maria e vinto dal dolore riparte per il Brasile, dove rimane sei mesi: Non riuscendo però a vincere la sua passione, ritorna in patria, ed essendo sempre ricevuto dalla cugina, la sposa.

Lo spunto della commedia non è nuovo; ed infatti nel fortunato lavoro di Giacosa *Come le foglie*, troviamo precisamente una famiglia caduta in rovina a causa dell'eccessiva debolezza del capo di casa e della condotta dei figli; il salvatore è un cugino.

A parte però il difetto di originalità e qualche esagerazione nel profilo dei personaggi, specie in quello del padre, che appare incredibilmente ingenuo, il lavoro è condotto con perizia dei mezzi scenici.

E' sopratutto assai efficace la scena del secondo atto fra i due cugini. La recitazione di Zago, della Bianchini, del Mezzetti, del Rossetti suscitò vivissimi applausi.

C. N.

Al COSTANZI l'annunziata replica del *Rigoletto* ebbe ieri sera un'ottima esecuzione.

Il baritono Danise — ben noto al nostro pubblico — fece sfoggio della sua splendida voce e si riaffermò un interprete eccellente. Egli fu applauditissimo, specie nell'aria del terzo atto ed ebbe parecchie chiamate al proscenio.

Assai ammirata e molto applaudita nel 2° e 3° atto la Cussoni nelle vesti di *Gilda*. La signorina Emma Onori diede un efficace rilievo alla parte di *Maddalena*. Degni pure di molta lode il tenore Micheli e il basso Donaggio.

Il commercio vinario

Fotografie di guerre ... a Torino

... roso ufficiale

... formazioni

Senato

Per il pagamento dei sussidi ai congiunti dei militari caduti

... zione degli operai ... stabilimenti ausiliari

lettera di Luigi Pirandello
a Nino Martoglio

Roma, 23. X. 1916

Mio caro Nino,

Speravo di vederti jeri alla prova del mio "Liolà", e alla lettura di "A giarra" (atto unico).

Mi sorge un sospetto che m'addolora, e da buon fratello com'io mi sento per te m'affretto a comunicartelo, perchè se mai qualche malinteso sia nato tra noi malauguratamente, sia subito dissipato.

Tu sai bene, caro Nino, ch'io non m'aspetto nessun accrescimento di fama da questi miei lavori dialettali: tutt'al più me n'aspetto qualche utile finanziario; ma sono <u>prontissimo</u> a rinunziarvi, se esso

'A Giarra

(La giara)

Commedia in un atto

di

Luigi Pirandello

autografo di *'A Giarra*
di Luigi Pirandello

Turi Pandolfini in «zi Dima» visto da Onorato

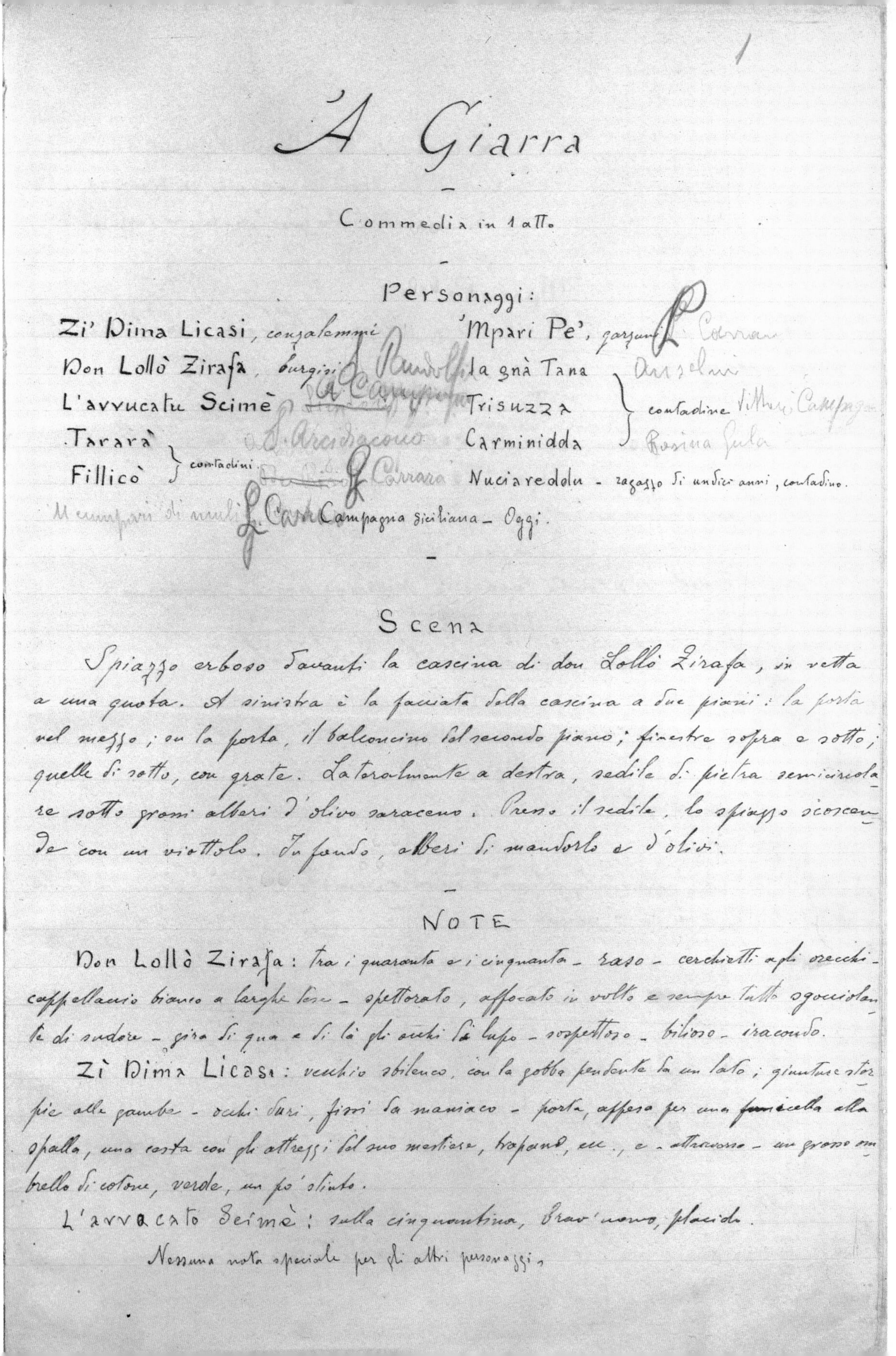

1

'A Giarra

–

Commedia in 1 atto.

–

Personaggi:

Zi' Dima Licasi, conzalemmi	'Mpari Pè, garzuni
Don Lollò Zirafa, burgisi	La gnà Tana, contadine
L'avvucatu Scimè	Trisuzza, contadine
Tararà, contadini	Carminidda, contadine
Fillicò, contadini	Nuciareddu – ragazzo di undici anni, contadino.

Campagna siciliana – Oggi.

–

Scena

Spiazzo erboso davanti la cascina di don Lollò Zirafa, in vetta a una quota. A sinistra è la facciata della cascina a due piani: la porta nel mezzo; su la porta, il balconcino del secondo piano; finestre sopra e sotto; quelle di sotto, con grate. Lateralmente a destra, sedile di pietra semicircolare sotto grossi alberi d'olivo saraceno. Presso il sedile, lo spiazzo scoscende con un viottolo. In fondo, alberi di mandorlo e d'olivi.

–

NOTE

Don Lollò Zirafa: tra i quaranta e i cinquanta – raso – cerchietti agli orecchi – cappellaccio bianco a larghe tese – spettorato, affocato in volto e sempre tutto sgocciolante di sudore – gira di qua e di là gli occhi da lupo – sospettoso – bilioso – iracondo.

Zi' Dima Licasi: vecchio sbilenco, con la gobba pendente da un lato; giunture storpie alle gambe – occhi duri, fissi da maniaco – porta, appesa per una funicella alla spalla, una cesta con gli attrezzi del suo mestiere, trapano, ecc., e – attraverso – un grosso ombrello di cotone, verde, un po' stinto.

L'avvocato Scimè: sulla cinquantina, brav'uomo, placido.

Nessuna nota speciale per gli altri personaggi.

una pagina autografa di *'A Gia[rra]*
di Luigi Pirandello

LA PATENTE
commedia in un atto
di
Luigi Pirandello.

D'Andrea

Ma no: io vogliu parlari con lui! con lei!

Marranca

Dici ca ci voli fari 'na prighera, signuri Ca-
veri... È tutta scantata...

Primo Giudice

Noi ce n'andiamo. A rivederci, D'Andrea!

Scambio di saluti – e i tre
Giudici escono per la comune.

D'Andrea

Falla passare.

Marranca

Subito, signuri Cavaleri.

Via anche lui.

autografo de *La Patente*
di Luigi Pirandello

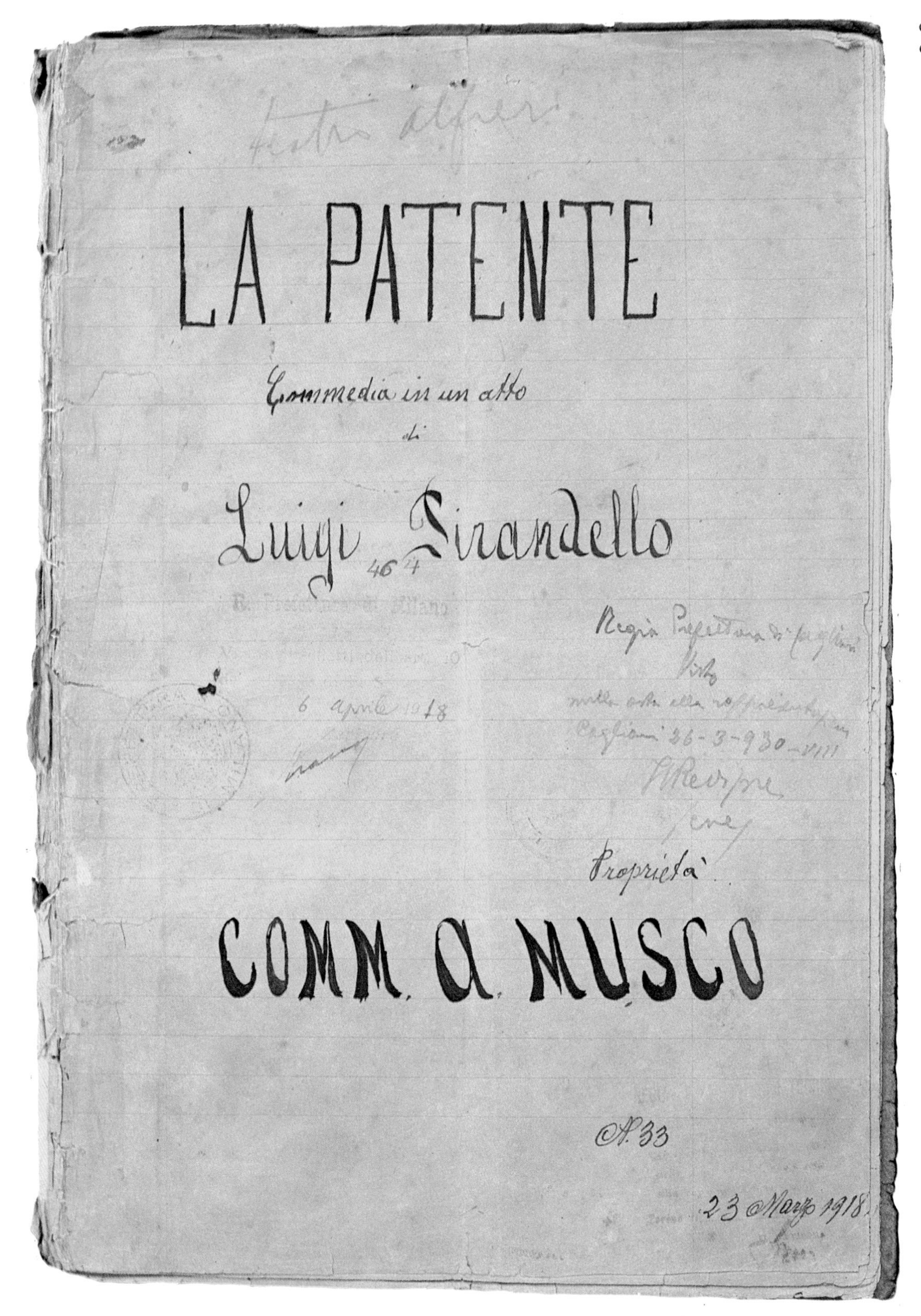
LA PATENTE

Commedia in un atto

di

Luigi Pirandello

6 aprile 1918

Regia Prefettura di Cagliari

Visto

nulla osta alla rappresentazione

Cagliari 26-3-930-VIII

Proprietà

COMM. A. MUSCO

N. 33

23 Marzo 1918

copione de *La Patente*
di Luigi Pirandello

Francesco Macaluso
Santi Savarino
Antonino Russo Giusti
Alfio Berretta

Gaetano Cristaldi Gambino
Saverio Fiducia

Francesco De Felice
Ottavio Profeta
Vanni Pucci
Pietro Rampolla del Tindaro

Francesco Lanza
Gesualdo Manzella Frontini

Giovanni Formisano
Giuseppe Patanè

nelle pagine seguenti:

autografo di Luigi Pirandello di *Cappiddazzu paga tuttu* di Martoglio e Pirandello

autografo di Nino Martoglio di *'A vilanza* di Martoglio e Pirandello

Enrico Serretta
Vito Mar Nicolosi

Cappiddazzu paga tuttu

-

Commedia in 3 atti
con le maschere

-

Atto Primo

—

La scena rappresenta un ampio salotto in casa di Don 'Nzulu con la volta scompartita in fondo in tre archi sostenuti da due colonne - Arredo borghese, modesto e un po' antiquato. Comune a destra, uscio a sinistra e tre in fondo, uno per ogni arcata. Destra e sinistra dello spettatore - La scena è uguale per tutti e tre gli atti.

—

Scena Prima

D. 'Nzulu e Brasi, poi D. Pràzzita e Rachilina

Don 'Nzulu è sdrajato su una greppina e sonnecchia, agitandosi. Brasi, in grembiule, con un piumaccio in mano, è intento a spolverare i mobili; si accosta alla greppina e spolvera anche i calzoni impolverati e le scarpe di D. 'Nzulu, che, dimenandosi, lo fa sobbalzare e poi ridere da scemo. Si ode il campanello d'ingresso, ed egli si ferma incerto, se debba o no togliersi il grembiule; poi se lo passa sotto il braccio e va. Rientra subito dopo, seguito dalle due donne, alle quali fa cenno di parlar piano perchè il padrone dorme.

Brasi

(*pianissimo*) Chi fazzu, 'u chiamu?.. Ah?... 'u chiamu?

D. Pràzzita

No, Brasuzzu, làssalu riposari... Aspittamu... Assèttiti, Rachilina. Com'è, stancu? stancu, è veru? (*S'appressa al dormente in punta di piedi e lo osserva*) Si vidi, mischinu, ca è abbattutu... Facci d'omu bonu, guarda, Rachilina...

Rachilina si alza e fa per accostarsi anche lei in punta di piedi. Ma in questo mentre Don

La Bilancia

('A vilanza)

dramma in tre atti di

Martoglio e Pirandello

Roma: Via Cavour 82

Via A. Torlonia 15

Atto primo

Tinello in casa Pardu - Comune in fondo, finestra a destra ed uscio a sinistra -

Scena I

Saru, Orazziu, Anna e Ninfa.

(La tavola è ancora apparecchiata e i quattro personaggi sono alla fine del desinare - Ninfa versa da bere a Saru, che appare acceso in volto e imbambolato, non tanto per il vino bevuto, quanto per lo stordimento della passione viziosa e sfacciata di Ninfa, che lo tiene come sotto un fascino - Anna è sulle spine, più per la paura di Orazziu e per la vergogna dello spettacolo di audacia della donna, che per gelosia del marito - Orazziu, che in realtà nota tutto, finge di non accorgersi di nulla e, con un sorriso sardonico pare che inciti i due a compromettersi di più agli occhi di Anna, verso la quale si mostra rispettoso)

Ninfa - Viviti 'n'autru tanticchia, vossia, cumpari!.. (gli versa da bere)

Anna - No, ppi carità, n'ò fattu biviri chiù!.. N'o viditi ca ci leva!..

NINO MARTOGLIO E LUIGI PIRANDELLO

TEATRO DIALETTALE SICILIANO

VOLUME SETTIMO

'A VILANZA (LA BILANCIA)
CAPPIDDAZZU PAGA TUTTU

CATANIA
CAV. NICCOLÒ GIANNOTTA, Editore
LIBRAIO DELLA REAL CASA

'U Ciclopu

Dramma satiresco di Euripide
ridotto in siciliano
da
Luigi Pirandello

R

Silenu

Staju vidennu cosi niuri, Baccu,
pi ttia! Ma chisti suli? Nn'haju vistu
tanti! – Era ancora virdi quannu, ~~appassionatu~~ –(e una!)–
Giununi ti vutò li sensi, e tu
fujisti li muntagni, unni li Ninfi
t'avianu nutricatu. – Poi, la guerra
di li Giganti. Tirribiliu! E nn'appi
cori, a 'u to' ciancu cummattennu, a pettu
a pettu. Un corpu di lanza, e ad Encèlatu
cci spirtusu lu scutu, e – a gammi all'aria...

nterrumpènnusi

(Un momentu. Chi forsi m''u 'nsunnai?
No. Ca quali! Si a Baccu, pi signali,
cci apprisintai li spogghi...)

ripigghiannu cu 'u tonu di prima

Ma una paju
di tutti ora nni passu, ca Giununi
ti scatinò dappressu li pirati
tirreni, razza 'nfami, p''un ti dari
abbentu a nudda banna. Iu, com''u sappi,
nun cci pinsai du' voti: mi 'mbarcai,
'ncerca di tia, cu li mei figghi. A puppa
iu reggennu 'u timuni, iddi vucannu,
biancu lu mari addivintau di tanti
corpa di rimi, pi circari a ttia!

autografo della riduzione in dialetto sicilian
di Luigi Pirandello di *'U Ciclopu* di Euripid

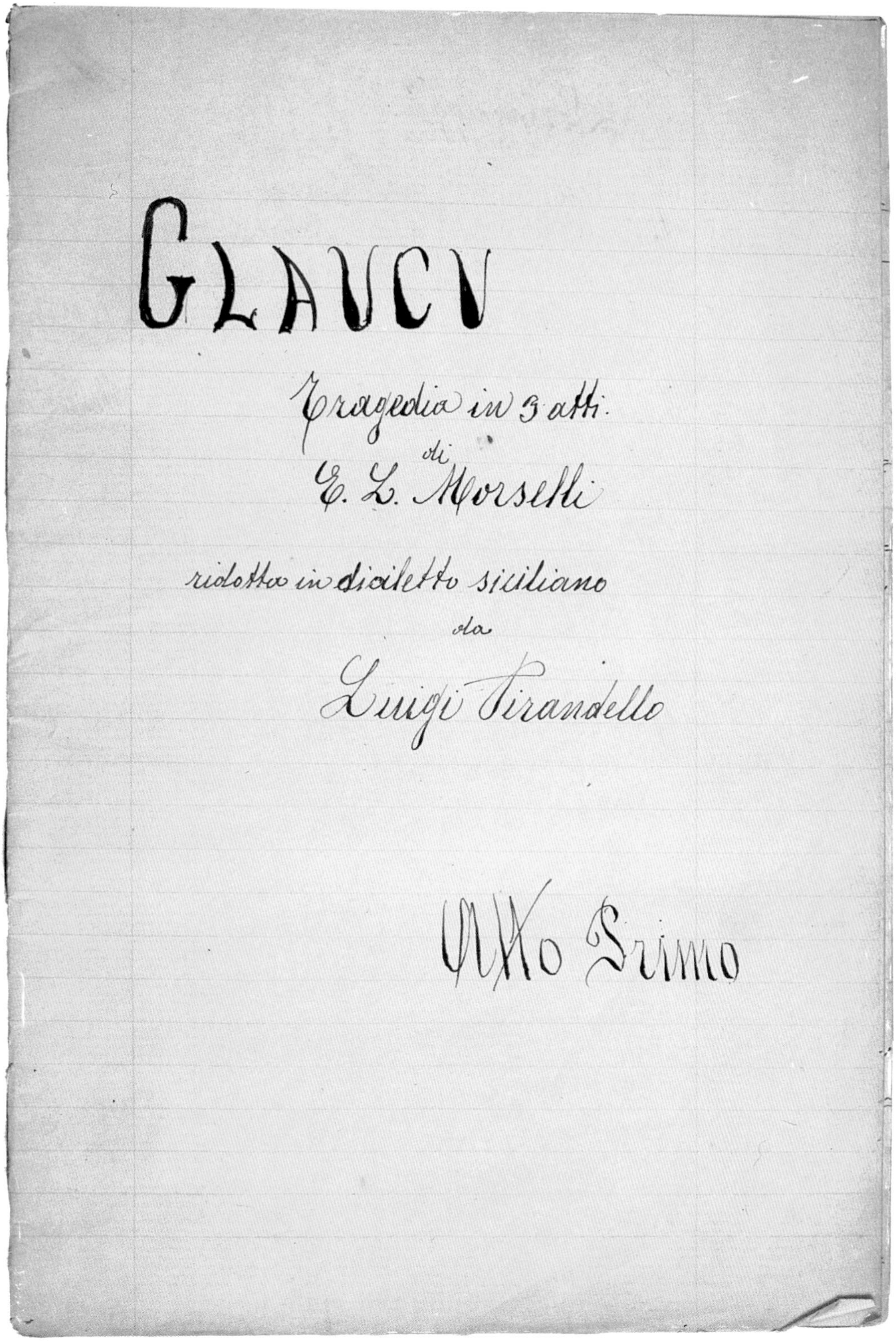

GLAUCU

Tragedia in 3 atti

di

E. L. Morselli

ridotta in dialetto siciliano

da

Luigi Pirandello

Atto Primo

copione della riduzione
in dialetto siciliano
di Luigi Pirandello di *Glaucu*
di Ercole Luigi Morselli

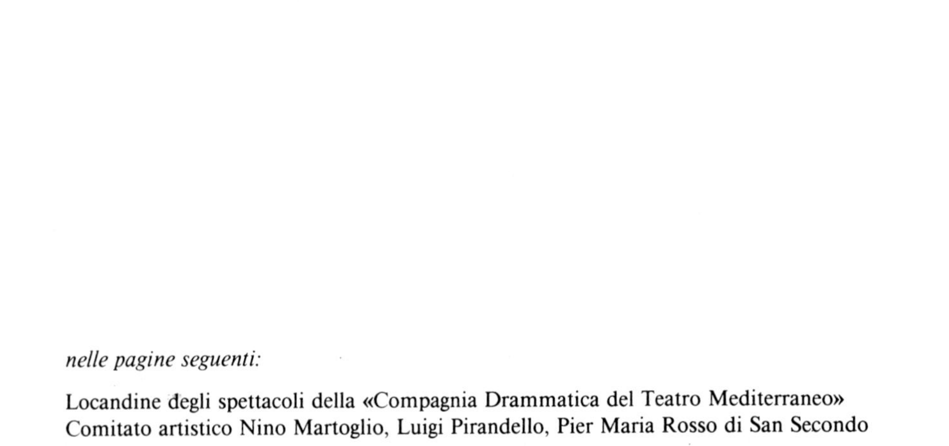

nelle pagine seguenti:

Locandine degli spettacoli della «Compagnia Drammatica del Teatro Mediterraneo»
Comitato artistico Nino Martoglio, Luigi Pirandello, Pier Maria Rosso di San Secondo

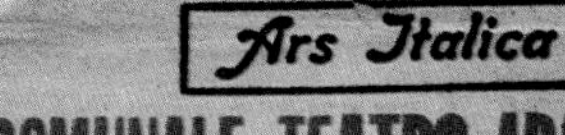

COMUNALE TEATRO ARGENTINA

Compagnia Drammatica del Teatro Mediterraneo
Condotta e Diretta da
NINO MARTOGLIO
Amministratore: PATERNO' DOMENICO

Lunedì 27 Gennaio - ore 21 precise

4ª REPLICA

IL CICLOPE

(U CICLOPU)

Dramma satiresco di EURIPIDE, ridotto in siciliano da L. PIRANDELLO
Curato per la scena dal Barone RODOLFO KANZLER

PERSONAGGI

Seguirà:

LUMIE DI SICILIA

Commedia in un atto di L. PIRANDELLO

PERSONAGGI

Palchi di Platea L. 25 — Palchi I Ordine L. 25 — Palchi II Ordine L. 20 — Palchi III Ordine L. 8 — Palchi IV Ordine L. 6

L'Orchestra del Teatro eseguirà
CLEMENTI M. Didone Abbandonata scena tragica - sonata
GRAZIOLI G. B. sonata in sol maggiore

Poltrone L. 5 — Poltroncine L. 3 — III Galleria L. 1 — IV Galleria L. 0.50

Lire 2.20 - *INGRESSO* - Lire 2.20
NON VI SONO POSTI IN PIEDI
L. 1.10 - LOGGIATO - L. 1.10

Quanto prima: **DAL TUO AL MIO**

Ars Italica

COMUNALE TEATRO ARGENTINA

Compagnia Drammatica del Teatro Mediterraneo
Condotta e Diretta da
NINO MARTOGLIO
Amministratore: DOMENICO PATERNO'

Giovedì 30 Gennaio - ore 21 precise

1ª RAPPRESENTAZIONE

DAL TUO AL MIO

Commedia in 3 atti di Giovanni Verga

NUOVA PER ROMA

PERSONAGGI

G. Grasso
V. Balistrieri
M. Spadaro
R. Spadaro
R. Romeo
S. Lo Turco
N. Menichelli
E. Coppa
S. Arcidiacono
P. Spadaro
S. Rizzo
R. Spadaro
G. Trovato
T. Visalli
A. Di Cesare
A. Lelio
S. Arcidiacono
G. Falzone
R. Helleker

Palchi di Platea L. 25 — Palchi I Ordine L. 25 — Palchi II Ordine L. 20 — Palchi III Ordine L. 8 — Palchi IV Ordine L. 6

L'Orchestra del Teatro eseguirà
1. PONCHIELLI A. I promessi sposi (Sinfonia)
2. Pollini F. Toccata
3. RICORDI G. Duetto d'amore

Poltrone L. 5 — Poltroncine L. 3 — III Galleria L. 1 — IV Galleria L. 0.50

Lire 2.20 - *INGRESSO* - Lire 2.20
NON VI SONO POSTI IN PIEDI
L. 1.10 - LOGGIATO - L. 1.10

Ars Italica

COMUNALE TEATRO ARGENTINA

Compagnia Drammatica del Teatro Mediterraneo
Condotta e Diretta da
NINO MARTOGLIO
Amministratore: DOMENICO PATERNO'

Sabato 1° Febbraio - ore 21 precise

Si rappresenterà:

MALÌA

Dramma in 3 atti di LUIGI CAPUANA

PERSONAGGI

R. Spadaro
V. Balistrieri
C. Bragaglia
R. Romeo
S. Lo Turco
G. Grasso
R. Spadaro
G. Spadaro
G. Spadaro
G. Trovato
C. Caracciolo

Palchi di Platea L. 20 — Palchi I Ordine L. 20 — Palchi II Ordine L. 10 — Palchi III Ordine L. 6 — Palchi IV Ordine L. 4

L'Orchestra del Teatro eseguirà
1. PONCHIELLI A. I Lituani
2. LONGO Campane di S. Petronio
3. PUCCINI LE VILLI - Preludio

Poltrone L. 4 — Poltroncine L. 1.50 — III Galleria L. 1 — IV Galleria L. 2.50

Lire 2.20 - *INGRESSO* - Lire 2.20
NON VI SONO POSTI IN PIEDI
L. 1.10 - LOGGIATO - L. 1.10

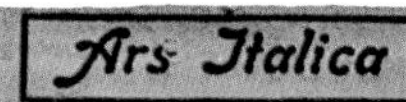

Ars Italica

COMUNALE TEATRO ARGENTINA

Compagnia Drammatica del Teatro Mediterraneo

Condotta e Diretta da

NINO MARTOGLIO

Amministratore: DOMENICO PATERNO'

Domenica 2 Febbraio - ore 17 precise

2ª REPLICA

MALIA

Dramma in 3 atti di LUIGI CAPUANA

PERSONAGGI

R. Spadaro, V. Balistrieri, C. Bragaglia, R. Romeo, S. Lo Turco, G. Grasso, R. Spadaro, G. Spadaro, G. Spadaro, G. Trovato, C. Caracciolo

Alle ore 21 precise

4ª REPLICA di:

DAL TUO AL MIO

commedia in 3 atti di G. Verga - NUOVA PER ROMA

PERSONAGGI

G. Grasso, V. Balistrieri, M. Spadaro, R. Spadaro, R. Romeo, S. Lo Turco, N. Menichelli, E. Coppa, S. Arcidiacono, P. Spadaro, S. Rizzo, R. Spadaro, G. Trovato, T. Visalli, A. Di Cesare, A. Lelio, S. Arcidiocone, G. Falzone, R. Helleker

Palchi di Platea L. 20
Palchi I Ordine L. 20
Palchi II Ordine L. 10
Palchi III Ordine L. 6
Palchi IV Ordine L. 4

L'Orchestra del Teatro

eseguirà

1. PONCHIELLI A. — I Lituani
2. LONGO — Campane di S. Petronio
3. PUCCINI — LE VILLI - Tregenda

Poltrone L. 4
Poltroncine L. 1.50
III Galleria L. 1
IV Galleria L. 2.50

Lire 2.20 - INGRESSO - Lire 2.20

NON VI SONO POSTI IN PIEDI

L. 1.10 - LOGGIATO - L. 1.10

Quanto prima PER FARE L'ALBA

NUOVA

Ars Italica

COMUNALE TEATRO ARGENTINA

Compagnia Drammatica del Teatro Mediterraneo

Condotta e Diretta da

NINO MARTOGLIO

Amministratore: DOMENICO PATERNO'

Mercoledì 5 Febbraio - ore 21 precise

Si rappresenterà:

LIOLÀ

Commedia campestre in 3 atti di LUIGI PIRANDELLO

PERSONAGGI

S. Lo Turco, R. Spadaro, R. Spadaro, V. Balistrieri, C. Bragaglia, A. Menichelli, T. Visalli, C. Caracciolo, G. Spadaro, P. Lelio, I. Spadaro, I. Lelio, A. Paternò, P. Romeo

Palchi di Platea L. 20
Palchi I Ordine L. 20
Palchi II Ordine L. 10
Palchi III Ordine L. 6
Palchi IV Ordine L. 4

L'Orchestra del Teatro

eseguirà

1. GIORDANO — Marcella (Preludio ed Intermezzo)
2. ZIPOLI — Preludio - Corrente - Sarabanda e Giga
3. RINALDI — Danza delle schiave e Minuetto

Poltrone L. 4
Poltroncine L. 1.50
III Galleria L. 1
IV Galleria L. 2.50

Lire 2.20 - INGRESSO - Lire 2.20

NON VI SONO POSTI IN PIEDI

L. 1.10 - LOGGIATO - L. 1.10

Quanto prima PER FARE L'ALBA

NUOVA

Ars Italica

COMUNALE TEATRO ARGENTINA

Compagnia Drammatica del Teatro Mediterraneo

Condotta e Diretta da

NINO MARTOGLIO

Amministratore: DOMENICO PATERNO'

Venerdì 7 Febbraio - ore 21 precise

Si rappresenterà:

L'ALTALENA

(VOCULANZICULA)

Commedia in 3 atti di NINO MARTOGLIO

PERSONAGGI

G. Grasso, R. Romeo, T. Visalli, V. Balistrieri, R. Spadaro, G. Spadaro, R. Spadaro, G. Trovato, A. Di Cesare, E. Coppa, M. Spadaro

Palchi di Platea L. 20
Palchi I Ordine L. 20
Palchi II Ordine L. 10
Palchi III Ordine L. 6
Palchi IV Ordine L. 4

L'Orchestra del Teatro

eseguirà

1. CATALANI — Edmea - Preludio
2. CATALANI — Danza delle ondine
3. a) TIRINDELLI - Mistica Romanza
b) FALBO - Canti nella valle

Poltrone L. 4
Poltroncine L. 1.50
III Galleria L. 1
IV Galleria L. 2.50

Lire 2.20 - INGRESSO - Lire 2.20

NON VI SONO POSTI IN PIEDI

L. 1.10 - LOGGIATO - L. 1.10

Quanto prima PER FARE L'ALBA

NUOVA

Ars Italica
ARGENTINA
Compagnia Drammatica del Teatro Mediterraneo
Condotta e Diretta da NINO MARTOGLIO
2 Domenica 9 Febbraio 2
RAPPRESENTAZIONI
Ore 17 e 21
Cavalleria Rusticana
Dramma in un atto di G. VERGA
G. Grasso
S. Lo Turco
R. Spadaro
A. Di Cesare
V. Balistrieri
C. Bragaglia
R. Spadaro
T. Visalli
A. Menichelli
G. Spadaro
L'Orchestra del Teatro eseguirà il Preludio dell'Opera omonima di PIETRO MASCAGNI
CAPITAN SENIO
Scene giocose in 2 atti di N. MARTOGLIO
G. Grasso
R. Spadaro
R. Romeo
M. Spadaro
N. Menichelli
G. Trovato
I. Spadaro
Palchi di Platea L. 20
Palchi I Ordine L. 20
Palchi II Ordine L. 10
Palchi III Ordine L. 8
Palchi IV Ordine L. 4
L'Orchestra del Teatro
VAVALLI
Ritorno dei mietitori
VERDI
Ballo in maschera
Poltrone L. 4
Poltroncine L. 1.50
III Galleria L. 1
IV Galleria L. 2.50
Lire 2.20 - INGRESSO - Lire 2.20
NON VI SONO POSTI IN PIEDI
L. 110 - LOGGIATO - L. 110

Ars Italica
ARGENTINA
Compagnia Drammatica del Teatro Mediterraneo
Condotta e Diretta da NINO MARTOGLIO
Lunedì 10 Febbraio - ore 21 precise
3ª REPLICA
Cavalleria Rusticana
Dramma in un atto di G. VERGA
PERSONAGGI
G. Grasso
S. Lo Turco
R. Spadaro
A. Di Cesare
V. Balistrieri
C. Bragaglia
R. Spadaro
T. Visalli
A. Menichelli
G. Spadaro
L'Orchestra del Teatro eseguirà il Preludio dell'Opera omonima di PIETRO MASCAGNI
6ª ED ULTIMA REPLICA
IL CICLOPE
(U CICLOPU)
Dramma Satiresco di EURIPE, ridotto in siciliano da L. PIRANDELLO
Curato per la scena dal Barone Rodolfo KANZLER
G. Grasso
R. Spadaro
S. Lo Turco
N. Menichelli
Palchi di Platea L. 20
Palchi I Ordine L. 20
Palchi II Ordine L. 10
Palchi III Ordine L. 6
Palchi IV Ordine L. 4
L'Orchestra del Teatro
VAVALLI
Ritorno dei mietitori
VERDI
Ballo in maschera - Preludio atto II
Poltrone L. 4
Poltroncine L. 1.50
III Galleria L. 1
IV Galleria L. 2.50
Lire 2.20 - INGRESSO - Lire 2.20
NON VI SONO POSTI IN PIEDI
L. 110 - LOGGIATO - L. 110

Ars Italica
ARGENTINA
Compagnia Drammatica del Teatro Mediterraneo
Condotta e Diretta da NINO MARTOGLIO
Amministratore: DOMENICO PATERNO'
Mercoledì 12 Febbraio - ore 21 precise
Si rappresenterà:
PER FARE L'ALBA
Notte isolana in tre momenti di ROSSO DI SAN SECONDO
NUOVA
PERSONAGGI
R. Spadaro
S. Lo Turco
V. Balistieri
G. Grasso
G. Trovato
E. Coppa
A. Paternò
G. Spadaro
R. Halleker
Arredo scenico della Casa d'Arte Bragaglia
Palchi di Platea L. 20
Palchi I Ordine L. 20
Palchi II Ordine L. 10
Palchi III Ordine L. 6
Palchi IV Ordine L. 4
L'Orchestra del Teatro
FLORIDIA
Danza del Sultano
RICORDI G.
Duetto d'amore di Pierrot
PUCCINI G.
Le Villi
Poltrone L. 4
Poltroncine L. 1.50
III Galleria L. 1
IV Galleria L. 2.50
Lire 2.20 - INGRESSO - Lire 2.20
NON VI SONO POSTI IN PIEDI
L. 110 - LOGGIATO - L. 110
Quanto prima
'A PATENTI
TADDARITA
NUOVI

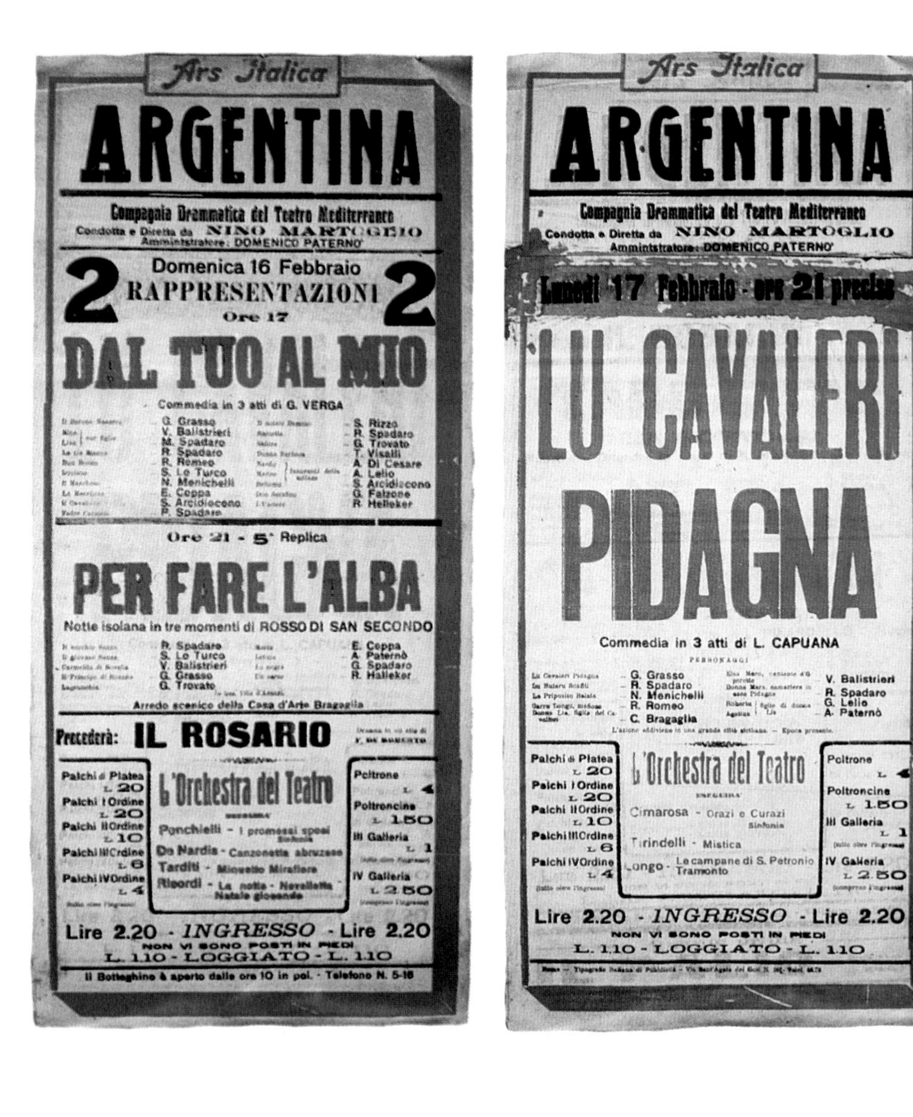

Ars Italica
ARGENTINA
Compagnia Drammatica del Teatro Mediterraneo
Condotta e Diretta da NINO MARTOGLIO
Amministratore: DOMENICO PATERNO'
2 Domenica 16 Febbraio RAPPRESENTAZIONI 2
Ore 17
DAL TUO AL MIO
Commedia in 3 atti di G. VERGA
G. Grasso
V. Balistrieri
M. Spadaro
R. Spadaro
R. Romeo
S. Lo Turco
N. Menichelli
E. Coppa
S. Arcidiacono
P. Spadaro
S. Rizzo
R. Spadaro
G. Trovato
T. Visalli
A. Di Cesare
A. Lelio
S. Arcidiacono
G. Falzone
R. Helleker
Ore 21 - 5ª Replica
PER FARE L'ALBA
Notte isolana in tre momenti di ROSSO DI SAN SECONDO
R. Spadaro
S. Lo Turco
V. Balistrieri
G. Grasso
G. Trovato
E. Coppa
A. Paternò
G. Spadaro
R. Helleker
Arredo scenico della Casa d'Arte Bragaglia
Precederà: IL ROSARIO
Palchi di Platea L. 20
Palchi I Ordine L. 20
Palchi II Ordine L. 10
Palchi III Ordine L. 6
Palchi IV Ordine L. 4
L'Orchestra del Teatro
Ponchielli - I promessi sposi
De Nardis - Canzonetta abruzzese
Tarditi - Minuetto Mirafiore
Ricordi - La notte - Novelletta Natale giocondo
Poltrone L. 4
Poltroncine L. 1.50
III Galleria L. 1
IV Galleria L. 2.50
Lire 2.20 - INGRESSO - Lire 2.20
NON VI SONO POSTI IN PIEDI
L. 1.10 - LOGGIATO - L. 1.10
Il Botteghino è aperto dalle ore 10 in poi. - Telefono N. 5-16
Ars Italica
ARGENTINA
Compagnia Drammatica del Teatro Mediterraneo
Condotta e Diretta da NINO MARTOGLIO
Amministratore: DOMENICO PATERNO'
Lunedì 17 Febbraio - ore 21 precise
LU CAVALERI PIDAGNA
Commedia in 3 atti di L. CAPUANA
PERSONAGGI
G. Grasso
R. Spadaro
N. Menichelli
R. Romeo
C. Bragaglia
V. Balistrieri
R. Spadaro
G. Lelio
A. Paternò
Palchi di Platea L. 20
Palchi I Ordine L. 20
Palchi II Ordine L. 10
Palchi III Ordine L. 6
Palchi IV Ordine L. 4
L'Orchestra del Teatro
ESEGUIRA'
Cimarosa - Orazi e Curazi Sinfonia
Tirindelli - Mistica
Longo - Le campane di S. Petronio Tramonto
Poltrone L. 4
Poltroncine L. 1.50
III Galleria L. 1
IV Galleria L. 2.50
Lire 2.20 - INGRESSO - Lire 2.20
NON VI SONO POSTI IN PIEDI
L. 1.10 - LOGGIATO - L. 1.10

Ars Italica
ARGENTINA
Compagnia Drammatica del Teatro Mediterraneo
Condotta e Diretta da NINO MARTOGLIO
Amministratore: DOMENICO PATERNO'
Martedì 18 Febbraio - Ore 21 precise
Si rappresenterà:
5ª Replica IL ROSARIO
TADDARITA
(LA NOTTOLA)
Nuovo - Dramma in 1 atto di N. MARTOGLIO - Nuovo
PERSONAGGI
R. Spadaro
V. Balistrieri
G. Grasso
N. Menichelli
M. Spadaro
G. Trovato
R. Romeo
G. Spadaro
A. Lelio
A. Di Cesare
S. Rizzo
R. Kelleker
'A PATENTI
(LA PATENTE)
Nuova - Commedia in 1 atto di L. PIRANDELLO - Nuova
PERSONAGGI
G. Grasso
M. Spadaro
N. Menichelli
A. Lelio
S. Rizzo
G. Trovato
G. Spadaro
Palchi di Platea L. 20
Palchi I Ordine L. 20
Palchi II Ordine L. 10
Palchi III Ordine L. 6
Palchi IV Ordine L. 4
L'Orchestra del Teatro
ESEGUIRA'
Pedrotti - Tutti in maschera Sinfonia
Corelli - Gavotta
Simeone - Canto di maggio Canto dell'esule
Poltrone L. 4
Poltroncine L. 1.50
III Galleria L. 1
IV Galleria L. 2.50
Lire 2.20 - INGRESSO - Lire 2.20
NON VI SONO POSTI IN PIEDI
L. 1.10 - LOGGIATO - L. 1.10
Il Botteghino è aperto dalle ore 10 in poi. - Telefono N. 5-16
Quanto prima
IL PALIO

Ars Italica
ARGENTINA
Compagnia Drammatica del Teatro Mediterraneo
Condotta e Diretta da NINO MARTOGLIO
Amministratore: DOMENICO PATERNO'
Mercoledì 19 Febbraio - Ore 21 precise
LUMII DI SICILIA
Commedia in 1 atto di L. PIRANDELLO
G. Grasso
A. Menichelli
I. Muratori-Paternò
N. Menichelli
E. Coppa
TADDARITA
(LA NOTTOLA)
Nuovo - Dramma in 1 atto di N. MARTOGLIO - Nuovo
R. Spadaro
V. Balistrieri
G. Grasso
N. Menichelli
M. Spadaro
G. Trovato
R. Romeo
G. Spadaro
A. Lelio
A. Di Cesare
S. Rizzo
R. Kelleker
'A PATENTI
(LA PATENTE)
Nuova - Commedia in 1 atto di L. PIRANDELLO - Nuova
G. Grasso
M. Spadaro
N. Menichelli
A. Lelio
S. Rizzo
G. Trovato
G. Spadaro
Palchi di Platea L. 20
Palchi I Ordine L. 20
Palchi II Ordine L. 10
Palchi III Ordine L. 6
Palchi IV Ordine L. 4
L'Orchestra del Teatro
Pedrotti - Tutti in maschera
Sinfonia
Corelli - Gavotta
Canto di maggio
Canto dell'esule
Poltrone L. 4
Poltroncine L. 1.50
III Galleria L. 1
IV Galleria L. 2.50
Lire 2.20 - INGRESSO - Lire 2.20
NON VI SONO POSTI IN PIEDI
L. 1.10 - LOGGIATO - L. 1.10
Il Botteghino è aperto dalle ore 10 in poi. - Telefono N. 5-16
Quanto Prima IL PALIO

Ars Italica
ARGENTINA
Compagnia Drammatica del Teatro Mediterraneo
Condotta e Diretta da NINO MARTOGLIO
Amministratore: DOMENICO PATERNO'
Giovedì 20 Febbraio - Ore 21 precise
Si rappresenterà:
IL PALIO
Dramma in 4 atti di NINO MARTOGLIO
PERSONAGGI
V. Balistrieri
R. Spadaro
G. Grasso
S. Lo Turco
R. Romeo
S. Rizzo
A. Lelio
A. Menichelli
R. Arcidiacone
G. Spadaro
G. Trovato
G. Balistrieri
R. Spadaro
N. Menichelli
G. Calabresi
Palchi di Platea L. 20
Palchi I Ordine L. 20
Palchi II Ordine L. 10
Palchi III Ordine L. 6
Palchi IV Ordine L. 4
L'Orchestra del Teatro
Antoliset - Cristoforo Colombo
Preludio
Grazioli - Sonata in sol maggiore
Faccio - Amleto
Poltrone L. 4
Poltroncine L. 1.50
III Galleria L. 1
IV Galleria L. 2.50
Lire 2.20 - INGRESSO - Lire 2.20
NON VI SONO POSTI IN PIEDI
L. 1.10 - LOGGIATO - L. 1.10
Il Botteghino è aperto dalle ore 10 in poi. - Telefono N. 5-16

Ars Italica
ARGENTINA
Compagnia Drammatica del Teatro Mediterraneo
Condotta e Diretta da NINO MARTOGLIO
Amministratore: DOMENICO PATERNO'
Domenica 23 Febbraio - Ore 17
UNICA RAPPRESENTAZ. DIURNA
CAVALLERIA RUSTICANA
Dramma in un atto di G. VERGA
TADDARITA
(LA NOTTOLA)
Dramma in 1 atto di N. MARTOGLIO
R. Spadaro
V. Balistrieri
G. Grasso
N. Menichelli
M. Spadaro
G. Trovato
R. Romeo
G. Spadaro
A. Lelio
F. Di Cesare
S. Rizzo
R. Kelleker
'A PATENTI
(LA PATENTE)
Commedia in 1 atto di L. PIRANDELLO
G. Grasso
M. Spadaro
N. Menichelli
A. Lelio
S. Rizzo
G. Trovato
G. Spadaro
Palchi di Platea L. 20
Palchi I Ordine L. 20
Palchi II Ordine L. 10
Palchi III Ordine L. 6
Palchi IV Ordine L. 4
L'Orchestra del Teatro
Franchetti - Asrael
Preludio Atto I
Mancinelli - Ero e Leandro
Danze sacre
Vavalli - Evocazioni fiamminghe
Suite
Poltrone L. 4
Poltroncine L. 1.50
III Galleria L. 1
IV Galleria L. 2.50
Lire 2.20 - INGRESSO - Lire 2.20
NON VI SONO POSTI IN PIEDI
L. 1.10 - LOGGIATO - L. 1.10
Il Botteghino è aperto dalle ore 10 in poi. - Telefono N. 5-16

Ars Italica
ARGENTINA
Compagnia Drammatica del Teatro Mediterraneo
Condotta e Diretta da NINO MARTOGLIO
Amministratore: DOMENICO PATERNO'
Lunedì 24 Febbraio - Ore 21 prec.
Si rappresenterà:
NICA
Dramma in 4 atti di N. MARTOGLIO
L'Orchestra del Teatro
Lire 2.20 - INGRESSO - Lire 2.20
L. 1.10 - LOGGIATO - L. 1.10

Ars Italica
COMUNALE TEATRO ARGENTINA
Compagnia Drammatica del Teatro Mediterraneo
Condotta e Diretta da NINO MARTOGLIO
Amministratore: DOMENICO PATERNO'
2 Giovedì 27 Febbraio RAPPRESENTAZIONI 2
Ore 17 precise
IL PALIO
Dramma in 4 atti di N. MARTOGLIO
ore 21
LIOLA'
Commedia campestre di Luigi Pirandello
L'Orchestra del Teatro
Paer - Il maniscalco Sinfonia
Frescobaldi - Pastorale Passacaglia
Ricordi - Duetto d'amore Serenata a Pierrot
Lire 2.20 - INGRESSO - Lire 2.20
NON VI SONO POSTI IN PIEDI
L. 1.10 - LOGGIATO - L. 1.10
Il Botteghino è aperto dalle ore 10 in poi - Telefono N. 5-16
Imminente Serata in Onore
di VIRGINIA BALISTRIERI
con LA LUPA e TADDARITA

Ars Italica
COMUNALE TEATRO ARGENTINA
Compagnia Drammatica del Teatro Mediterraneo
Condotta e Diretta da NINO MARTOGLIO
Amministratore: DOMENICO PATERNO'
Venerdì 28 Febbraio - Ore 21 prec.
SERATA IN ONORE DI VIRGINIA BALISTRIERI
LA LUPA
Scene drammatiche in 2 atti di G. VERGA
Seguirà:
TADDARITA
(LA NOTTOLA)
Dramma in 1 atto di NINO MARTOGLIO
L'Orchestra del Teatro
Paer - Il maniscalco Sinfonia
Frescobaldi - Pastorale Passacaglia
Ricordi - Duetto d'amore Serenata a Pierrot
Lire 2.20 - INGRESSO - Lire 2.20
NON VI SONO POSTI IN PIEDI
L. 1.10 - LOGGIATO - L. 1.10
Il Botteghino è aperto dalle ore 10 in poi - Telefono N. 5-16
Prossimamente: L'ARIA DEL CONTINENTE

COMUNALE TEATRO ARGENTINA
Compagnia Drammatica del Teatro Mediterraneo
Condotta e Diretta da NINO MARTOGLIO
Amministratore: DOMENICO PATERNO'
ULTIME RECITE
Sabato 1° Marzo - Ore 21 prec.
Si rappresenterà
L'ARIA del CONTINENTE
Commedia in 3 atti di N. Martoglio
G. Grasso
R. Spadaro
R. Spadaro
R. Romeo
G. Spadaro
A. Lelio
G. Spadaro
A. Menichelli
G. Trovato
P. Ferrara
T. Visalli
S. Rizzo
G. Balistrieri
R. Arcidiacono
R. Helleker
G. Spadaro
U. Spadaro
N. N.
N. Menichelli
Palchi di Platea L. 20
Palchi I Ordine L. 20
Palchi II Ordine L. 10
Palchi III Ordine L. 6
Palchi IV Ordine L. 4
L'Orchestra del Teatro
Secchi - La fanciulla delle Asturie - Sinfonia
Catalani - Danza delle ondine
Corelli - Gavotta
Poltrone L. 4
Poltroncine L. 1.50
III Galleria L. 1
IV Galleria L. 2.50
Lire 2.20 - INGRESSO - Lire 2.20
NON VI SONO POSTI IN PIEDI
L. 1.10 - LOGGIATO - L. 1.10
Il Botteghino è aperto dalle ore 10 in poi. - Telefono N. 5-16

Ars Italica
COMUNALE TEATRO ARGENTINA
Compagnia Drammatica del Teatro Mediterraneo
Condotta e Diretta da NINO MARTOGLIO
Amministratore: DOMENICO PATERNO'
ULTIME DUE RECITE
Martedì 4 Marzo
2 RAPPRESENTAZIONI 2
Ore 17,30
L'ALTALENA
Commedia in 3 atti di N. MARTOGLIO
G. Grasso
R. Romeo
T. Visalli
V. Balistrieri
R. Spadaro
G. Spadaro
R. Spadaro
G. Trovato
A. Di Cesare
E. Coppa
M. Spadaro
ore 21,30
L'ARIA DEL CONTINENTE
SERATA DI GALA
ore 21,30 in onore delle truppe gloriose reduci dal fronte.
(Teatro illuminato a giorno)
Palchi di Platea L. 20
Palchi I Ordine L. 20
Palchi II Ordine L. 10
Palchi III Ordine L. 6
Palchi IV Ordine L. 4
L'Orchestra del Teatro
Pedrotti - Tutti in maschera - Sinfonia
Rinaldi - Entrata di arlecchino
Rinaldi - Lola - bozzetto - minuetto
Poltrone L. 4
Poltroncine L. 1.50
III Galleria L. 1
IV Galleria L. 2.50
Lire 2.20 - INGRESSO - Lire 2.20
NON VI SONO POSTI IN PIEDI
L. 1.10 - LOGGIATO - L. 1.10
Il Botteghino è aperto dalle ore 10 in poi. - Telefono N. 5-16

Giovanni Grasso *jr.*
Virginia Balistrieri

Virginia Balistrieri
Rocco Spadaro

Luigi Rasi
Marco Praga

Silvio D'Amico
Libero Bovio

Renato Simoni
Sabatino Lopez

Fausto Maria Martini
Alessandro Varaldo

Antonio Gramsci
Piero Gobetti

Guglielmo Policastro
Nino Zuccarello
Luca Pignato

Luigi Pirandello, *Dialettalità*, in «Cronache d'attualità», Milano, agosto-settembre 1921

DIALETTALITA'

Dire che in Italia non si fanno progressi anche nel campo della letteratura, non si potrebbe dire. Vedo che stiamo ancora a discutere le idee di Ferdinando Martini sul teatro italiano che non c'è, nè ci può essere, perchè Roma non è Parigi e la lingua italiana comunemente parlata in Italia non esiste e l'unità nazionale è soltanto di ieri, sicchè non ha potuto ancor dare alla vita nostra quel costume e quei particolari caratteri che il teatro, se vuol essere nazionale, dovrebbe rispecchiare: la famosa storia, insomma, del cannone che non può sparare per centomila ragioni, di cui novantanovemilanovecentonovantanove sono superflue, dato che la prima è della polvere che manca.

Cioè, che Roma non è Parigi.

Magnifico spettacolo d'esemplare costanza nelle proprie opinioni. L'arte-specchio,, ovverosia la vita come materia già per sè formata, secondo i costumi e con già belli e impressi e inconfondibili i suoi caratteri peculiari; e l'arte, là! come uno specchio, che la ritragga così com'è, per un suo ufficio quasi storico. La medesima mentalità, infondo, di quei così detti *uomini di teatro*, che piuttosto si farebbero scannare che riconoscere il teatro come campo anch'esso di letteratura. Con questa differenza però, che codesti *uomini di teatro* sono almeno più logici. Perchè il Martini, ch'io sappia, non ha mai considerato il teatro come un genere a parte, che non abbia nulla da vedere con la letteratura d'un popolo; nè d'altra parte negato che l'Italia per ciò che si riferisce agli altri famosi *generi letterarii* abbia una letteratura, pur non avendo quelle condizioni ch'egli reputa necessarie e indispensabili all'esistenza d'un teatro nazionale. Dimodochè, per essere coerente, dovrebbe affermare delle due cose l'una; o che una letteratura italiana non esiste; o che, se esiste in tutti gli altri generi letterarii e soltanto nel teatro no, questo è un genere a parte, perchè avrebbe bisogno di certe speciali condizioni, di cui le altre forme di letteratura possono fare a meno.

Ora come non s'accorge il Martini che nessuna ragione può esserci, per cui un romanzo, per esempio, senza che Roma sia Parigi, svolgendosi in Lombardia o in Romagna, nel Piemonte o nel Veneto, in Toscana o in Sicilia, e senza che i costumi e i caratteri d'una regione siano comuni a quelli di un'altra, nè che ci sia per esso una lingua italiana parlata in italia; un romanzo, sì, debba poter dirsi

Ultimo testo di Luigi Pirandello
scritto in dialetto

Ccu i nguanti gialli

Commedia in 3 atti
di
Luigi Pirandello

Parma C'è l'automobili, jusu... facemu prestu prestu...
Masino (contento come un bambino scemo) A casa... ccu l'automobili... Bellu, si... tuttu ccu versu... e ccu manera... (S'avvia con Parma, che lo sorregge, seguito da Flavio. A un certo punto si volta verso Nicosia e dice a Parma, indicandoglielo) E... e iddu?
Parma (spiandolo, indecisa) Chi dici?
Masino Eh! Salutamu macari a iddu, allura! (gli fa un saluto con le mani, accennando anche un inchino, poi, rivolgendosi a Parma e riavviandosi sorretto da lei) Tuttu ccu versu e ccu manera... Ccu i guanti gialli... ccu i nguanti gialli....

Tela

Giuseppe Murabito
copiò Giugno 1924

CRONACA DI CATANIA

La tragica fine di Nino Martoglio

Ieri, improvvisamente, s'è sparsa in città la voce della morte di Nino Martoglio. Data la notorietà dell'uomo e dell'artista, la fulminea notizia parve ai più incredibile. Purtroppo il terribile avvenimento era vero in tutti i raccapriccianti particolari che l'accompagnano.

La villeggiatura

Da circa due mesi Nino Martoglio, che alla Sicilia guardava sempre con cuore di figlio affettuosissimo — dopo averla onorata nelle lettere e nell'arte, aveva portato da Roma la sua famiglia a villeggiare, ospite d'un amico, nella ridente plaga di Giardini.

Essendosi da diversi giorni ammalato di paratifo il suo figlioletto Marco, egli e la sua signora erano venuti a Catania la sera del 15 corrente.

Il Comm. Gaetano Salemi, Direttore dell'Ospedale Vitt. Em. aveva con molto cortesi premure approntato per il piccolo infermo una stanza del nuovo reparto pediatrico Marchesa Gravina, dove Nino Martoglio lasciò infatti il figlioletto con la mamma che lo vegliava.

Il destino in agguato

Trascorsa qualche ora e baciati i suoi cari, egli si avviava verso il cancello d'uscita dell'ospedale, seguendo il corridoio che era illuminato.

Ma i suoi cari non lo videro più. E quello della sera doveva esser per loro l'ultimo bacio! Per tutto il giorno seguente fu una ricerca affannosa. Nè a Giardini, dov'era il resto della famiglia, nè in casa della nipote signora Zuco-Martoglio, nè all'Hotel Centrale Corona, dove il povero Nino aveva fissato una camera per la notte, egli fu più visto.

Solo ieri sui tardi il Comm. Salemi facendo il giro ch'è solito fare dei locali del vasto nosocomio, potè constatare atterrito la terribile verità: un cadavere giaceva in fondo ad una buca ch'era il vano dell'ascensore da impiantare nel nuovo reparto. Era quello di Nino Martoglio!

Pare, e non si sa spiegare purtroppo per quale ragione, che il Martoglio, anzichè seguire il corridoio illuminato, si sia avventurato al buio in altro ambiente, giusto quello che conteneva la buca segnata dalla fatalità del destino!

Il cadavere presentava i segni evidenti della tremenda caduta. Una larga e profonda ferita alla parietale sinistra aveva dato copiosa uscita al sangue, che s'era aggrumato in larghe pozze attorno al corpo esanime.

La fine doveva essere stata quasi istantanea.

E che tragica fine!

I primi soccorsi

Tosto fatta la triste scoperta il Comm. Salemi e il Cav. Cresci, in preda alla più viva costernazione, dandosi cura di nulla far trapelare alla signora Martoglio che ignara ancora dell'immane sciagura stava al capezzale del figlioletto, dove aveva passato la notte inconscia, mentre a pochi passi da lei giaceva inanimata la spoglia dell'amato compagno, si diedero cura d'avvertire per telefono i parenti e gli amici più intimi. Accorsero infatti i signori Zuco, il D.r Scuderi, congiunti del povero morto, Pippo Marchese e Mario Centorbi che furono suoi amici sin dall'infanzia.

Dopo le constatazioni di legge la salma, composta su una barella, fu trasportata in una sala del reparto Kinesiterapico, trasformata in cappella ardente.

Sparsasi in un baleno per la città la cruda nuova, fu per tutta la serata all'ospedale un accorrere di amici dell'Estinto: un vero pellegrinaggio di visitori commossi.

La salma dell'illustre scrittore, coperta di fiori, è vegliata dagli infermieri dell'Ospedale.

Nino Martoglio

L'ho visto ieri per l'ultima volta.

Assorto nel mistero dell'al di là, deformato dalla caduta mortale, intriso di sangue rappreso sulla ferita orrenda.

Eravamo stati insieme il giorno avanti: mi aveva detto del male ribelle che aveva colpito il suo piccolo caro: era preoccupato. Sentiva tanto, il povero amico, la religione della cura sua famigliuola!

Alla distanza di ventiquattro ore, il destino crudele, ha maturato la tragedia più funesta; ha orbato la famiglia adorata, ha funestato l'arte ch'egli onorava, ha immerso gli amici e gli estimatori di Nino Martoglio nella costernazione più viva e profonda.

Io non posso non ricordare. Non ricordarlo.

Vissi con lui gli anni — oramai lontani — della giovinezza. Lo ebbi: compagno sin dai primi passi nel giornalismo che entrambi muovemmo alla scuola del padre suo — il Prof. Luigi non peranco dimenticato a Catania — Ne seguii le mirabili prove del talento, dello spirito, del volere. Egli era un forte. Un lottatore. Tutta la breve sua vita non fu che lotta.

Lontani nella mia memoria sono i giorni in cui il *Corvo bianco* gracchiava i parodistici strambotti mangiapreti del Canonico Bruno, che pur aveva portata la corolla. Lontani quelli del *Falstaff* che Mario Centorbi aveva fondato con munifica regalità... senza un soldo e senza una seggiola in un ufficio che non esisteva nè meno. Eravamo pomposamente *la redazione* noi, e con noi il Centorbi ed Ernesto Macri', e poi il povero Carmelo Cali' ed il povero Agostino Pistorio... E poi basta.

Ora anche Nino Martoglio scompare! Nell'alterna vicenda del tempo è scomparso anche quel famosissimo *D'Artagnan*, ch'egli aveva creato e ch'è passato nell'antonomasia, ricordato da tutti come il tipo del giornale umoristico, ricco di garbo e successo di contenuto. Battagliero per altro e.... battagliato, come il suo fondatore che lo dirigeva, da vero buon guascone, con la penna e con la spada!

Vennero per Nino Martoglio i giorni tristi, le lusinghe e le delusioni della politica, nella quale con l'ardore del suo temperamento egli s'era anche gettato al seguito di Peppino De Felice, riuscendo a farsi eleggere consigliere comunale di Catania. E per una serie di vicende domestiche venne anche il volontario suo esilio.

Ma a Catania, alla Sicilia, egli aveva legato il nome e votato l'intelletto ed il cuore. Intelletto sovrano e cuore di poeta. I suoi versi assursero subito ai fastigi della celebrità: la loro schietta sincerità era rivelatrice. Non gli elogi della critica ma la grande diffusione e le numerose ristampe di *Centona*, coi suoi meravigliosi sonetti ne era la prova più brillante.

Ma il teatro allettava il vivido e fosforescente talento di Nino Martoglio. E il teatro vernacolo siciliano lo ebbe maestro acclamato ed autore fortunatissimo quanto fecondo. Dalla gagliarda prima affermazione di *Nica* all'ultima commedia *Il marchese di Ruvolito*, quante gioconde figure non son fiorite dalla genialità del creatore mirabile!

S. Giovanni decollato, L'aria del continente, L'altalena — per dire delle più acclamate — trionfano e trionferanno sempre a traverso la grande arte di Angelo Musco, che del Martoglio fu l'ispiratore ed il cooperatore più affettuoso e più generoso, coi due Grasso, e Marcellini e con i molti altri attori siciliani i quali precipuamente all'autore che ora scompare devono la ragione del loro essere.

Sulla fossa che s'è schiusa con tanto senso di tragico contrasto per accogliere la spoglia di chi aveva tanto saputo far ridere, converge il compianto mai più sinceramente sentito della grande anima della folla. Su questa fossa versono lacrime cocenti la vedova ed i teneri figlioletti. Il fato ha voluto che Nino Martoglio rendesse nella città che gli aveva dato i natali e che l'onorava come figlio eletto, il suo ultimo respiro.

Egli se n'era partito in ambascia: vi è tornato quand'era al colmo della fortuna... Triste ironia: proprio in quel punto in cui pare che il destino avverso si compiaccia d'infrangere e di spezzare. Fortune ed affetti...

Sulla tua tomba, Nino diletto, il fiore del mio ricordo, anche in nome di questo foglio che ti fu caro ed amico....

f. marchese

Il manifesto del Circolo artistico

In occasione della luttuosa circostanza della morte di Nino Martoglio il Circolo Artistico ha indirizzato alla cittadinanza il seguente manifesto:

Concittadini!

Nino Martoglio non è più. Egli giace schiantato nel fiore degli anni e nella piena maturità della sua produzione intellettuale, mentre, lungamente desiata, al fine gli sorrideva la gloria e vagheggiava nella fervida mente nuove e luminose affermazioni, ancor più ardue concezioni di vita e di fede. Scrittore genialissimo e vario, artista fine ed acuto, impersonò le qualità tutte del nostro popolo generoso e seppe ritrarne con perfezione mirabile le caratteristiche, l'innata bontà, gli slanci leonini, l'operosa attività.

Innamorato della sua Catania, la cantò con devozione di figlio, con passione d'innamorato; profondo conoscitore dell'animo delle masse, se ne rese interprete nobilmente in produzioni che hanno ormai superata la cerchia dell'Isola e si sono trionfalmente affermate destando ovunque consentimenti unanimi e palpiti vivissimi di ammirazione.

Intimamente vera ed umana, l'opera di Nino Martoglio non morrà e il suo alto spirito aleggerà ancora e per sempre sulla Patria diletta, incitatore di fede e suscitatore di salde energie.

Il Segretario Antonino Parisi — *Il Presidente* F.SCO ANASTASI

L'on. Treves arriverà oggi

Col diretto delle 17 giungerà oggi dal Continente l'on. Claudio Treves.

Alla stazione a riceverlo si troveranno migliaia di lavoratori desiderosi di rendere omaggio all'illustre e valoroso rappresentante del socialismo.

L'on. Giuffrida per gli impiegati e pensionati del Banco di Sicilia

S. E. l'on. Vincenzo Giuffrida, Presidente onorario della Unione fra gli impiegati e pensionati del Banco di Sicilia, interessato da questa Sezione per raccomandare al competente Ministero la sollecita approvazione delle riforme organiche e regolamentari deliberate dal Consiglio Generale del Banco l'anno scorso ha risposto al Presidente di questa Sezione:

« Ho ricevuto la Sua e posso assicurarla che ho già rivolto premure al Ministero del Tesoro in merito all'approvazione delle modificazioni proposte al regolamento pel Personale di cotesto Banco. La terrò ulteriormente informata ».

Il Personale del Banco di Sicilia ringrazia l'on. Giuffrida per il suo valido interessamento, e nutre fiducia che finalmente venga definita la ormai annosa pratica della sistemazione dei servizi e dei regolamenti del nostro Istituto.

Federazione Dazieri di Catania

Ci si comunica:

1.) Tutti i federati sono invitati di presentarsi alla sede della Federazione con i congedi o certificati, e trascrivere la domanda per il riconoscimento del servizio militare utile agli effetti della pensione. Le domande in carta bollata da L. 1,15 saranno redatte secondo la formula stabilita.

Si raccomanda la massima sollecitudine affinchè anche questo diritto venga subito tradotto in fatto.

2.) Il Comitato nella seduta del giorno 8 corr. m. approvò di convocare l'assemblea straordinaria per il giorno 26 stesso mese alle ore 20,30 precise dovendo discutere ed approvare la domanda presentata di molti soci in merito alle modifiche da apportare al Regolamento per l'immediata esecuzione della deliberazione d'urgenza della Giunta Comunale del 31 marzo 1921 riferente alle ore straordinarie oltre le 8 ore di servizio e malattia.

Si raccomanda a tutti non mancare e di mandare quelli di servizio le loro adesioni. Possono intervenire anche i non soci.

3.) Per maggiore comodità del personale che vuole sottoscrivere l'atto fondo vedovile si avverte che detto atto sarà rilasciato presso il notaio Fazio Via Lincoln con N. 216 il giorno 25 corrente mese alle ore 11 precise.

Chiarimento necessario

La serrata dei Commercianti e Industriali del 29 luglio u. s. diede appiglio agli Agenti di elevare una numerosa serie di verbali contro gli Esercenti assumendo che mancassero le marche prescritte sugli striscioni attaccati alle saracinesche sui quali era apposta la leggenda « Chiuso per protesta ».

In considerazione delle contro deduzioni il Signor Intendente di Finanza ha ordinato la sospensione delle procedure. Intanto l'Ufficio del Registro non fece in tempo a soprassiedere a molte notifiche di pagamento della multa, dando motivo ad una nuova effervescenza.

Per quella armonia che mira a far rimanere inalterati i rapporti con le Autorità la Federazione fra Commercianti e Industriali tiene ad assicurare quanti hanno avuto notificata tale intimazione a considerarla come non avvenuta avendo preso la cura della eliminazione.

Associazione Nazionale fra Mutilati e Invalidi di Guerra

Ill.mo Signor Direttore del « Corriere di Sicilia » CITTA'

La preghiamo voler pubblicare la seguente lettera pervenutaci da un grande invalido di guerra presentemente ricoverato all'Ospedale S. Marta.

Tutti i mutilati che amano di vero amore il Luca Aiello rappresentante della Associazione presso la locale Opera Nazionale dei mutilati fanno voti a nostro mezzo che presto l'Aiello ritorni guarito presso la nostra grande famiglia.

Ringraziamenti distinti ed ossequi.

LA PRESIDENZA

Egregio Sig. Presidente,

Sono trascorsi quattro anni dacchè il piombo nemico stroncò la mia balda giovinezza, ma non ostante dopo aver subito il martirio di ben dodici operazioni chirurgiche, non ho raggiunto ancora la guarigione.

Oggi ho fatto ritorno all'Ospedale S. Marta per sottopormi ad un'altra operazione, ma dal mio letto di dolori il mio spirito volerà in codesta Associazione ch'è simbolo di martirio e di fratellanza.

E pensandovi, o fratelli mutilati, trarrò un non lieve conforto che mitigherà le mie pene, mentre sarò pur orgoglioso del mio orgoglio di soffrire ancora per la Patria!

Ritornando fiducioso in questo sacro asilo ove durante la guerra fui degente per venti mesi, ricordo con vera gratitudine le premurose cure che quivi mi vennero prodigate e dalle suore di carità e dagli illustri chirurghi Cirinciani e Caponnetto che seppero contendermi alle grinfie della morte. Ella sig. Presidente che mi è amico, proverà certamente dolore per la mia assenza in seno al Consiglio Direttivo, e saprà scusarmi se una necessità imperiosa te m'impone d'esimermi dalle mie modeste mansioni. Nel lasciarla, coll'animo commosso, Le esprimo i sensi della mia alta stima e la prego a rendersi interprete dei miei sentimenti d'affetto verso i nostri fratelli mutilati, a cui porgerà il mio fervido saluto.

Ed ora, come sempre, come io gridai in faccia al nemico: Viva l'Italia!

Sindacato Trasporti Secondari — Sezione Circum Etnea

Riceviamo:

In seguito alle lungaggini della Commissione dell'Equo Trattamento che rimanda all'infinito l'approvazione dello statuto della Cassa Previdenza, il personale della Circum Etnea, perduta la pazienza ha iniziato una agitazione che potrà portare a serie conseguenze.

In questi giorni si terranno delle riunioni nei vari capi della linea per deliberare sui mezzi da adottare per persuadere il Governo a provvedere al più presto.

Si è costituito un comitato di agitazione incaricato di far conoscere alle Autorità interessate le cause per le quali il servizio potrà essere sospeso.

Fasci Italiani di Combattimento (Sez. di Catania)

Riceviamo:

Si pregano tutti gli inscritti e tesserati di volere intervenire domenica 18 corr. alla adunata fascista che si terrà nei locali di via S. Agata N. 3 alle ore 10, per organizzare le squadre.

Si prega caldamente di non mancare.

Corpo Nazionale dei Giovani Esploratori Italiani

Domenica 18 c. m. alle ore 9 precise adunata in sede di tutti gli iscritti.

La luce elettrica

L'altr'ieri sera le lampade elettriche offrivano lo spettacolo poco divertente di certi schermi che sono obbligatori soltanto per i fanali dei porti che devono orientare i naviganti.

Si spegnevano gradatamente e poi si riaccendevano.

Il pubblico aveva l'impressione di una burletta niente affatto simpatica; la quale assumeva una forma esasperante per essersi protratta tutta l'intera serata.

Naturalmente molti cittadini protestavano, e dappertutto s'incrociavano commenti e discussioni animatissime.

Ieri sono pervenute delle lettere in proposito alla nostra redazione, ed è per questo che noi giriamo le giuste lagnanze a chi di ragione.

Via S. Teresa

Questa breve stradicciuola, che pure si trova a pochi metri dai Quattro Canti, è divenuta un fomite di sporcizia, di luridume... ed altro ancora. La puzza che vi si sprigiona si diffonde persino lungo un buon tratto di via Lincoln. Gli abitanti di via S. Teresa non ne possono più; essa è piena d'immondizie con due orinatoi dove non scorre mai acqua, e dove giustamente al buio ed abitata, in parecchie case terrene, da donnacce equivoche, attorno alle quali ronzano la sera certi bruti ceffi che è prudente fuggire.

Ci sembra che ciò basti per spingere coloro che ne hanno l'obbligo, a provvedere presto...

Il cuore dei nostri lettori

La puntatina di cronaca « Contrasto materno » apparsa ieri doveva non lasciare insensibile il cuore dei nostri lettori. Il caso di quattro poveri bimbi abbandonati dalla madre; e l'altro della vedova infelice con due figliuoletti ammalati, sono pietosi abbastanza perchè chi legge non si sentisse scosso al gesto generoso.

La Ditta Giardini Lire 50 ed indumenti ha regalato ieri alla famiglia; il signor S. Salmona, per la povera Concettina Vittoria fu Orazio, ci ha fatto pervenire lire cinquanta. Altre lire trenta ha inviate il signor Giuseppe Paladino, e lire dieci N. N. pregando, questi due ultimi di dividere le loro offerte ai quattro bimbi abbandonati ed alla vedova derelitta.

Noi oggi stesso rimetteremo il denaro ricevuto a quei poveri infelici.

Notizie commerciali

La Camera di Commercio comunica:

Tasse di bollo sugli scambi — Scambi con l'Estero

In relazione a quesiti proposti dal ceto commerciale riguardo al trattamento da farsi nei riguardi del bollo, alle fatture relative a spedizioni di merci prodotti e materie prime da e per l'estero si reputa opportuno dichiarare quanto segue:

Ditte estere aventi sede o rappresentanza nel Regno

a) Nel caso di merci, prodotti e materie prime spedite all'estero o provenienti dall'estero la tassa di bollo sugli scambi di cui all'art. 9 del regio decreto 26 febbraio 1920, N. 167, è dovuta soltanto se la Ditta estera destinataria di merci spedite dal Regno, o la Ditta estera che spedisce merci nel Regno, abbia una sede o rappresentanza nel Regno. In tal caso la tassa di cent. 30 per ogni 100 lire o frazione di 100 lire, oltre l'addizionale del 15 % pro mutilati sull'importo della tassa, si applica come di regola, sulla fattura e se il prezzo è fatturato in moneta straniera, questa deve essere valutata, agli effetti della misura della tassa, al cambio del giorno in cui la fattura viene stilata trattandosi di tassa che per l'esplicito disposto dell'art. 9 del citato regio decreto è diretta a colpire il prezzo dello scambio commerciale prezzo che è dato appunto non dalla parità monetaria ma dal corso giornaliero del cambio.

La detta tassa e l'addizionale per le fatture di merci spedite all'estero, devono essere corrisposte a mezzo delle marche a doppia sezione (tassa lusso e scambi) applicando una sezione sull'esemplare di fattura inviato all'estero e l'altra sezione sull'esemplare trattenuto dal venditore.

Nel caso invece di merci provenienti dall'estero, il commerciante destinatario nel Regno che riceve la fattura, corrisponderà la tassa di cui si tratta ragguagliata in ragione di cent. 30 per ogni 100 lire o frazione di 100 lire, oltre l'addizionale del 15 % sulla tassa con l'applicazione delle marche a tassa fissa composte di un'unica sezione in uso per la bollatura delle ricevute e quietanze ordinarie, note, conti e fatture, ritenuto che in questo caso non potrebbero adoperarsi le marche doppie perchè il duplo della fattura è rimasto presso il commerciante estero.

Ditte estere non aventi sede o rappresentanza nel Regno

b) Qualora la Ditta estera destinataria di merci spedite dal Regno o la Ditta estera che spedisce merci nel Regno, non abbia qui una sede o rappresentanza, i trapassi delle merci prodotti e materie prime non costituiscono scambi nel Regno nel senso inteso dal citato art. 9 del regio decreto 26 febbraio 1920, n. 167, e pertanto sulle relative fatture è dovuta non la tassa di cent. 30 per ogni 100 lire, bensì quella di cent. 20 per ogni cento lire stabilita dall'art. 13 (art. 43 bis) dello stesso decreto, oltre l'addizionale 15% pro mutilati sull'importo della tassa, da corrispondersi mediante marche a tassa fissa composte di un'unica sezione.

Questa tassa — come già è stato chiarito col paragrafo 3 della circolare 112 del 1.o bollettino ufficiale della Direzione generale del bollo e delle concessioni governative per l'anno 1920 — deve essere applicata in ogni caso con ragguaglio in moneta italiana tenendo conto della parità monetaria e cioè del valore nominale.

Casa del Popolo

Cooperativa fra i Carpentieri e Calafati

Ieri sera si è riunita sotto la presidenza del compagno Adolfo Chiossone l'assemblea generale della Cooperativa fra i carpentieri e calafati.

Dopo un discorso di occasione del compagno Chiossone si procede alla consegna dell'ufficio ai nuovi eletti. Il presidente signor Mirabella nell'assumere la presidenza tratteggiò la solidarietà assieme coi vi ringraziamenti agli organizzatori della Cooperativa.

S'intrattiene poscia a dimostrare i grandi vantaggi che ne derivano dalla compattezza della organizzazione in rapporto al crescente sviluppo del porto di Catania.

Per acclamazione si dà mandato alla presidenza d'iniziare le pratiche per la costituzione legale della Cooperativa e dell'assunzione di importanti lavori.

Si delibera inoltre di spedire un telegramma alle Eccellenze Giuffrida e Macchi per comunicare loro le cariche affidatole.

Si delibera altresì di aderire alla Casa del Popolo e alla Federazione Regionale delle Cooperative dei lavoratori dei porti.

Lega Falegnami Ebanisti

Questa sera alle ore venti avrà luogo la riunione dell'assemblea generale dei soci. Che nessuno manchi.

Concorso a Guardia Municipale

Dei 134 candidati ammessi a questo concorso, la commissione, in esito alla visita medica, ne ha dichiarato:

a) Decaduti 8, per non essersi presentati alla visita anzidetta;

b) Non idonei 41, o per deficienza di statura, o per costituzione fisica non sana e non robusta.

c) Idonei 85 e precisamente i sig.ri: Amadio Carmelo di Damiano, Amendolia Francesco, di Filippo, Andronico Giuseppe, fu Nicolò; Angelico Sebastiano, fu Salvatore; Arcidiacono Antonino di Salvatore, Ardini Giuseppe d'ignoto, Ascanio Giuseppe di Baldassare, Balsamo Sabino Giuseppe di Santo, Barbagallo Mariano di Giovanni, Bordonali Giovanni d'ignoto, Bruno Pietro, di Francesco, Cali' Giuseppe di Vincenzo, Campione Santo, di Carmelo; Cannavò Sebastiano fu Antonino, Cardella Mario di Giovanni, Carrivale Francesco di Giuseppe, Casaburi Carlo Emilio fu Antonio, Caserta Gaetano di Giuseppe, Castiglione Nicolò fu Pasquale, Cavallaro Rosario di Francesco, Costa Nunzio, di Giuseppe, Costanzo Gaetano di Antonio, Cuscolo Angelo di Vincenzo Cusumano Girolamo, di Francesco, Daniel Alfredo fu Carmelo, De Grande Carmelo fu Salvatore, D'Aidone Francesco d'ignoto; D'Amico Giuseppe fu Agatino, D'Anna Giuseppe fu Venerando, Di Bella Mario di Giuseppe, Di Guardo Concetto, di Salvatore, Di Stefano Luciano di Salvatore, Ferlito Rosario di Antonino, Finocchiaro Raimondo, di Santo, Gargano Paolo di Francesco, Giuliano Concetto fu Vincenzo, Grasso Angelo di Salvatore, Grasso Mario fu Salvatore, Indelicato Salvatore di Mario, Intrisano Giuseppe di Giovanni, Licciardello Mario Gaetano di Pasquale, Lo Faro Giuseppe fu Ignazio, Lombardo Giacomo di Andrea, Mangano Nicolò fu Domenico, Mangiù Giuseppe di Antonino, Manna Francesco di Salvatore, Marchese Giuseppe Salvatore di Gaetano, Marino Giuseppe di Carmelo, Mascali Antonino di Carmelo, Maugeri Cosimo di Sebastiano, Micale Giuseppe fu Antonino, Mollica Francesco fu Antonino, Moscato Filippo di Francesco, Mostile Antonino di Giovanni, Mummeci Salvatore fu Luigi, Napoli Carmelo Giuseppe di Carmelo, Nicolosi Giovanni fu Carmelo, Nocito Antonino di Antonino, Olivieri Vincenzo di Domenico, Papa Vincenzo di Rosario, Pennisi Concetto, di Mario, Pennisi Pasquale di Antonino, Ponzini Salvatore fu Agatino, Privitera Santo di Vincenzo, Puglisi Antonino fu Francesco, Pulici Vincenzo di Calogero, Ragusa Filippo di Vincenzo, Rapisarda Mario di Antonino, Riso Luigi di Matteo, Samuniceli Carmelo di Luigi, Scalia Salvatore fu Alfio, Sciacca Carmelo di Angelo, Scuderi Gaetano d'ignoto, Scuto Carmelo di Sebastiano, Strano Sebastiano di Antonino, Suma Antonino di Giuseppe, Timpanaro Salvatore di Gaetano, Toscano Domenico fu Carmelo, Tumminello Nunzio di Antonino, Ventimiglia Carlo Maria di Francesco, Verso Luigi d'Ignoto, Viola Luigi Carmelo di Gaetano, Zacco Santo di Antonino, Zamboni Adolfo fu Pietro.

I suelencati idonei dovranno sostenere gli esami scritti, che avranno luogo il 22 e il 23 settembre andante, alle ore 8 nella scuola comunale «Gioacchino Biscari» piano 2, con ingresso dalla via Musumeci, N. 83.

A tal uopo, il Sindaco ha diramato i singoli inviti, avvertendo che la mancanza di presentazione farà soggiacere alla pena della decadenza e che gli assenti alla prova del primo giorno saranno inevitabilmente esclusi da quella del secondo.

Federazione Regionale fra i lavoratori dell'Arte Bianca

Ci si comunica:

Ieri in seguito ad accordi presi con gli industriali, si sono riuniti nei nostri locali, i rappresentanti della federazione e dell'industria, per discutere il nuovo concordato presentato dal Sindacato regionale.

Poichè alcuni industriali non erano intervenuti, su proposta del cav. Michele Prinzi si è deciso di riunirci nuovamente oggi alle ore 15,30 negli stessi locali.

Tutti gli industriali sono pregati di intervenire.

La Segreteria

Due rapine audacissime

Nella mattinata del nove andante, in contrada *vignatella*, territorio di Licodia Eubea, tre malfattori armati, vestiti con abiti di colore oscuro ed il viso nascosto da fazzoletti bianchi forati agli occhi, fermarono tre poveri carrettieri. Intimato il sacramentale *faccia a terra* i banditi si gettarono sulle vittime con bestiale violenza e le perquisirono con raffinata prepotenza che i malcapitati subirono con rassegnazione per non trovare peggio.

Ma l'enorme si è che i banditi non avendo rinvenuto nulla nelle tasche di uno dei tre carrettieri, disgustati, gli tirarono un colpo di fucile che per fortuna deviò il bersaglio.

Rapinarono L. 100 a Canfailla Giuseppe fu Nicola di anni 57 da Comiso; L. 65 a Giuseppe Celia fu Salvatore di anni 51 da Ragusa e... niente a Lametta Biagio fu Giovanni di anni 49 da Comiso, domiciliato a Vittoria.

I malviventi fatto il colpo si allontanarono indisturbati alla volta di Chiaramonte Gulfi.

Della rapina furono subito informati i carabinieri di Vizzini, ed ora s'indaga attivamente per catturare i tre delinquenti della campagna.

* * *

Una seconda rapina è avvenuta ieri sera, verso le ore 22, lungo lo stradale Palagonia Ramacca. Il contadino Giuseppe Giudice fu Carmelo di anni 48 si recava in campagna conducendo una cavalla baia di anni nove ed una mula di anni sedici, allorchè tre furfanti, con fucili e rivoltelle a portata di mano, lo aggredirono strappandogli con violenza i due animali. Invano il disgraziato pianse pregò e scongiurò dicendo che quelle due bestie rappresentavano il perchè della sua esistenza; i malandrini per tutta risposta lo tempestarono di pugni e di calci e si dileguarono portando via la cavalla e la mula.

I carabinieri sono stati edotti anche di quest'altra impresa ladresca, e sappiamo che delle pattuglie apposite sono state lanciate dietro le piste dei malfattori.

Arresto per oltraggio

Ieri a Misterbianco, venne tratto in arresto certo Privitera Francesco di Antonio di anni 28, per oltraggio e resistenza ad un carabiniere.

Grave caduta di una Guardia di Finanza

Ieri verso le ore 15, la R. Guardia di Finanza D'Arrigo Mario di anni 38 da Catania, abitante in via Umberto N. 221, trovavasi allo scalo ferroviario per controllare i carri ed assicurarsi se i piombini fossero in regola. Dopo di aver adempito al proprio dovere il milite stimò opportuno scendere dal vagone, ma, pose un piede in fallo e cadde per terra.

Accorsero subito alcune persone ed il caduto venne subito rialzato ed accompagnato alla « Croce Rossa » dove gli fu medicata una frattura al 3.o inferiore del radio destro con notevole versamento.

Il sanitario di servizio lo dichiarò guaribile in giorni 25.

Ruba un carro

Certo Farieli Pietro fu Antonino di anni 53, ieri venne tratto in arresto in via Plebiscito perchè responsabile di furto di un carro in danno di persona non ancora identificata. La refurtiva venne pure sequestrata.

Infrazione al calmiere

Ieri fu arrestato Angelini Mario di Cosimo perchè colpito da mandato di cattura perchè condannato a giorni 50 di detenzione e L. 500 di multa per infrazione al calmiere.

Il portafogli

Alla stazione Acquicella ieri venne tratto in arresto Calvagno Angelo di Salvatore di anni 14, perchè sorpreso in flagranza di furto di un portafogli contenente L. 90 in danno di Barbera Paolo fu Santo.

Borsaiuolo precoce

L'altr'ieri mentre la Signora Strano Giuseppa fu Giuseppe, in via Principe Nicola stava per comprare del pesce fu derubata del portamonete, contenente L. 15, ad opera del minorenne Saitta Salvatore di Lorenzo, che per la minore età non potè essere arrestato.

Ladri al lavoro

Verso le ore 22 ignoti ladri mediante la rottura di una grata di ferro s'introdussero nell'abitazione di Mirruta Giovanni, sita in via Naumachia N. 90, e portarono via un portafogli con L. 500 e due paia di scarpe. Queste ultime furono rinvenute a poca distanza dalla casa del derubato.

Un biglietto falso di L. 50

In via Gazometro, presso una rivendita di Tabacchi, certo Cosentino Antonino di Angelo tentava di spacciare un biglietto di banca di L. 50 falso; per cui il biglietto fu sequestrato ed il Cosentino denunziato all'autorità giudiziaria.

Piccola cronaca

PROGRAMMA MUSICALE

Ecco il programma che sarà svolto questa sera dalle ore 20,30 alle 22,30 in Piazza dei Martiri:

1. Marcia - Patria — Musso
2. Sinfonia - La muta di Portici — Auber
3. Duetto finale - Ballo in Maschera — Verdi.
4. Mazurka - Amor mio — Lanzoni.
5. Scena e Ballabili Sacri: Figliuol prodigo — Ponchielli.
6. Polka - Toscanina — Sant.

STATO CIVILE

Nascite e morti del giorno 16 Settembre 1921:

NATI: Maschi 17; femmine 17.

MORTI: 16.

BOLLETTINO METEOROLOGICO

17 Settembre 1921: Levare del Sole ore 5,42; Tramonto ore 18,7; Età della Luna giorni 15; L. P.

16 Settembre 1921 ore 15: Pressione dell'atmosfera ridotta al livello del mare in mm. 762,9 · Temperatura centigrada 27,7; Umidità dell'aria % 59; Parte di cielo coperto % 0; Direzione del vento al suolo S-E Velocità oraria del vento in km. 4; Stato del mare: leggermente mosso.

Nelle 24 ore precedenti: Temperatura massima centigrada 27,8; Temperatura minima centigrada 20,7 · Pioggia in mm. 00.

MOVIMENTO DEL PORTO

ARRIVI: « Electra », germanico Comp. Amburgo tonn. 736 da Bremen, Spagna, Genova, Livorno, Napoli, con m. d.; « Umbria », italiano, Comp. Genova, tonn. 3091 da Genova e Napoli con m. d e passeggieri; « Costantinopoli », italiano, Comp. Genova tonn. 2256 da Galatz, Costantinopoli e Corfù con m. d. e passeggieri. Portava anche l'equipaggio del P.fo « Santa Teresa » affondato in seguito all'urto contro una mina nel Mar Nero.

PARTENZE: « Umbria », italiano, Comp. Genova, tonn. 3091 per Alessandria con m. d. e passeggieri.

Spettacoli di questa sera

ARENA ITALIA

Questa sera dalle 19 in poi serata che dedicata al sesso gentile catanese, per l'occasione PIPPO FRANCO dirà delle macchiette del suo vecchio repertorio, continuato successo della coppia

Pippo-Pipuzza

LA SCILLA e Miss ALDA completano il Varietà. In prosa: NICOLINO INGENUO, commedia brillantissima in 2 atti. — Lunedi' spettacoli di prosa e Cinema.

EDEN BELLINI

Dalle ore 19 ad ingresso continuato due grandiosi spettacoli di Prosa e Varietà. Continua il successo strepitoso dell'elegantissima stella

Anna Fougez

nel suo vasto repertorio. Precederà la Compagnia italiana Rosa-Palermo con: TRESA, bozzetto drammatico di Broggi.

Seguirà: La Tombola, commedia brillantissima in 1 atto. Lunedì serata straordinaria in onore della diva ANNA FOUGEZ.

ARENA PACINI

Comica Compagnia ZEPPEGNO - VINSA

Si darà serata in onore dell'attore GERARDO DI GAMBIO con

Scompartimento Signore Sole

Commedia brillantissima in 3 atti di Hennequin e Weber.

ARENA VERDI

Compagnia d'Operette BERTINI - GIDANA

Alle ore 21:

L'Acqua Cheta

Domani 2 Spettacoli 2. Mattinata alle ore 16 Serale alle 21.

Annunzio della morte di Nino Martoglio

Nella pagina seguente Nino Martoglio

autografo dell'articolo di Luigi Pirandello
scritto in occasione della scomparsa
di Nino Martoglio e apparso su
«Il Messaggero», Roma, 18-19 settembre
1921

Mentre egli vive qui, e vivrà ancora per
tanto e tanto tempo, e canta e ride e piange
e freme in tutta la sua opera arguta e schietta,
così calde e sincere simpatie suscitando col suo
canto in tutto il popolo della sua Sicilia, e tante risa e tanta commozione ogni sera, nei teatri d'Italia, negli innumerevoli spettatori delle
sue commedie e dei suoi drammi; pensarlo
morto (e d'una così inopinata orribile morte!), pensare che non potrò più rivederlo
nella fraterna consuetudine che avevo con lui
e nella quale di giorno in giorno mi si ri-
velavano tutti i moti della sua nobilissima
anima e del suo cuore generoso, moti che,
seppur talvolta violenti e inconsiderati, pa-
lesavano sempre in lui l'eterno fanciullo-poe-
ta; tanto oscuro e freddo turbamento mi
cagiona e tal dolore mi dà, che non
mi è possibile mettermi a scrivere ora di lui,
come vorrei.

Nino Martoglio è per la Sicilia quello
che il Di Giacomo e il Russo per Napoli; il

- 6 -

larghissimo repertorio e una fin troppo numero[sa]
schiera d'attori. E finché vivrà, vivranno pe[r]
la delizia dei pubblici d'Italia *Mastru Agostin[u]*
Misciasciu del "S. Giovanni Decollato" e *Don*
Cola Dusciu del "L'Aria del Continente" e i
Arffanti e i due ciechi di "Scuru" e il *Cap[i]-*
tan Turrisi di "Sua Eccellenza" e il povero
Marchisi di Ruvulitu e *Taddarita* e *Nic[...]*
e *Capitan Seniu*, tutte le creature del suo [tea-]
tro, in cui quei magnifici attori si sentono
vivi.

Lui solo, povero Nino, non potrà [più]
soffrirne e goderne. E che abbia lasciato [così]
meglio e innanzi tempo il suo lavoro, sul [me-]
glio e innanzi tempo i suoi adorati picc[oli]
figliuoli, l'adorata Compagna, i fratelli,
amici, così, per uno sciagurato acciden[te]
aprendo per isbaglio una porta che dava [su]
un baratro, è cosa di tale e tanta crudel[tà]
che veramente fa disperare e inorridire.

Roma, 18 Settembre 1921

Luigi Pirandello.

Lettera di Luigi Pirandello a Vera Vergani

...a d'un mio nuovo dolore. È questo si-
...sicuro che è stato forte e che mi durerà
lungo, perché ho perduto un amico vero e
...o. E in che modo, poi!
Basta. Ci rivedremo presto a Milano.
...bbiatevi, cara Amica, il saluto più
...ffettuoso e devoto del

Vostro

Luigi Pirandello.

21

Roma, 22. IX. 1921
Via Pietralata 23

Mia gentile Amica,

l'arrivo de "I sei perso-
naggi„ da Brescia, così, senza un rigo d'accompa-
gnamento, non so dirvi quanto mi fece arzigogo-
lare per parecchi giorni, giacché quell'arrivo mi si
rappresentò subito come un viaggio di ritorno dopo il viaggio d'andata che io avevo fatto fare ai
suddetti Sei personaggi, in tre copie, a Brescia: u-
na copia per Voi, una per Dario, una per Almi-
rante.

Veramente queste tre copie erano andate
prima a Siena e presso la villa del Conte Sergardi;

Ultima stagione della vita di Luigi Pirandello

Luigi Pirandello (in seconda fila) prende parte a una riunione dell'Accademia d'Italia

Luigi Pirandello ad Agrigento, davanti al Tempio della Concordia (1927)

Luigi Pirandello ad Agrigento con Cele e Maria Abba ed altri amici davanti al Tempio di Giunone (1927)

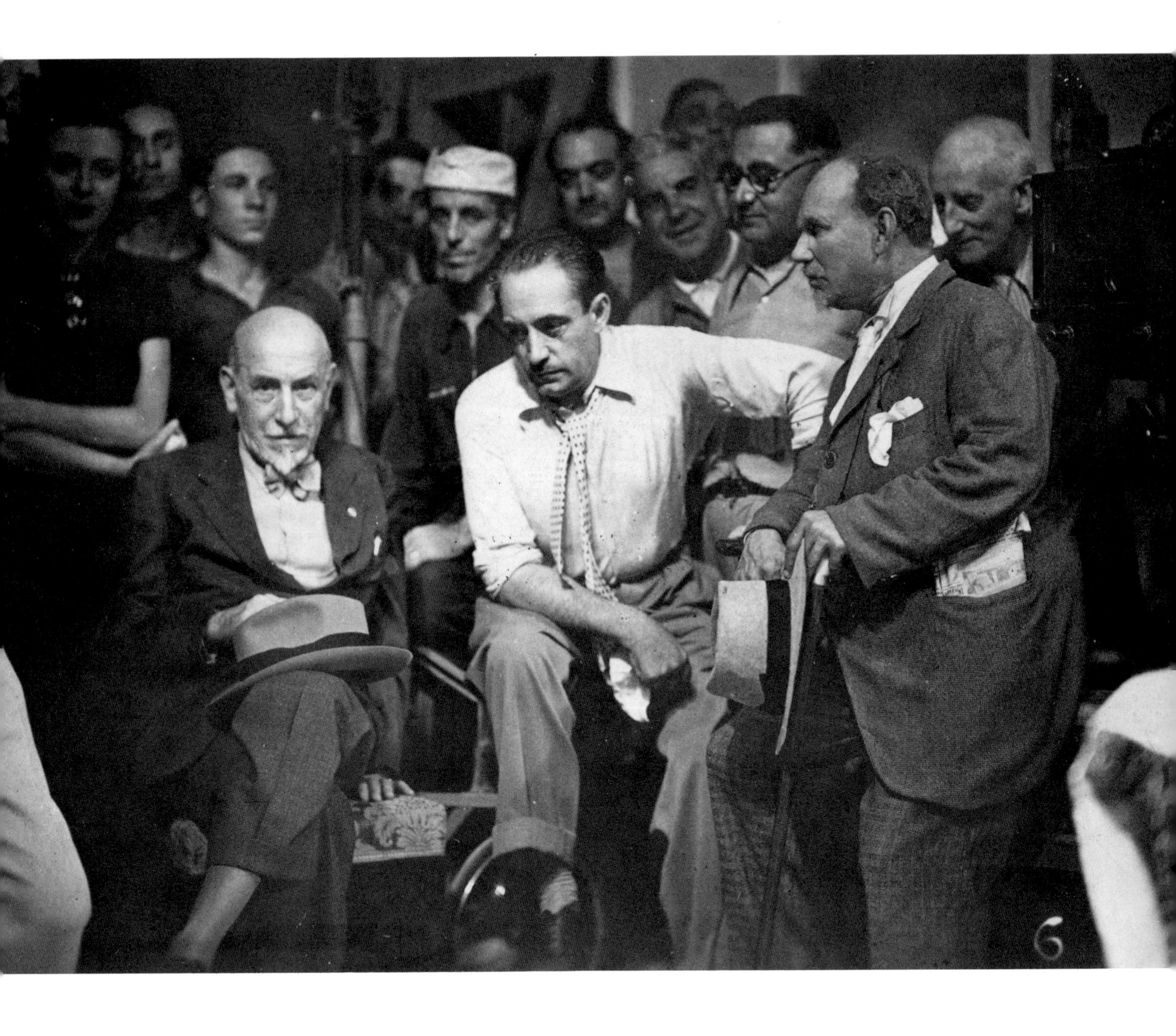

Luigi Pirandello in compagnia di Gennaro Righelli e Angelo Musco sul *set* di *Pensaci, Giacomino!*

Luigi Pirandello nella campagna siciliana

Immagini di Luigi Pirandello

Luigi Pirandello gioca a bocce

Luigi Pirandello con il figlio Stefano, la nuora Olinda e i nipotini nel suo studio

Propr.: Museo Civico
Agrigento

ultime immagini di Luigi Pirandello

Mie ultime volontà
da rispettare

I Sia lasciata passare in silenzio la mia morte. Agli amici, ai nemici preghiera non che di non parlarne sui giornali, ma di non farne pur cenno. Né annunzi né partecipazioni.

II Morto, non mi si vesta. Mi s'avvolga, nudo, in un lenzuolo. E niente fiori sul letto, e nessun cero acceso.

III Carro d'infima classe, quello dei poveri. E nessuno m'accompagni, né parenti né amici. Il carro, il cavallo, il cocchiere, e basta.

IV Bruciatemi. E il mio corpo, appena arso, sia lasciato disperdere, perché niente, neppure la cenere, vorrei avanzasse di me. Ma se questo non si può fare, sia l'urna cineraria portata in Sicilia, e murata in qualche rozza pietra, nella campagna di Girgenti, dove nacqui.

Luigi Pirandello

copiato il 10 dic. 1936 nella stanza accanto alla camera da letto dove giaceva L. P. sotto un lenzuolo bianco.

trascrizione autografa di Ugo Ojetti delle *Mie ultime volontà da rispettare* di Luigi Pirandello (10 dicembre 1936)

Nella pagina seguente

Annunzio della morte di Luigi Pirandello

È MORTO LUIGI PIRANDELLO

ROMA, 10.

Dopo due giorni di violenta malattia, una bronco-polmonite, è morto stamane Luigi Pirandello, Accademico d'Italia.

Per espresso suo desiderio la notizia della malattia era stata rigorosamente tenuta nascosta a tutti.

Nelle ultime volontà da lui lasciate, egli ha specificamente disposto che della sua morte non siano dati annunzi nè partecipazioni speciali e che la sua salma sia trasportata da un semplice carro di poveri senza essere accompagnata nè da parenti nè da amici.

La sua è stata una morte inattesa: malattia breve e agonia brevissima. Domenica scorsa Luigi Pirandello fu costretto a letto da un attacco d'influenza. Poi le condizioni si aggravarono e l'influenza volse in polmonite. Le sorti dell'illustre infermo, non ancora settantenne, erano affidate alla resistenza del cuore, ma il cuore ha ceduto e all'alba di stamane di fronte ai sintomi di aggravamento, il medico curante chiese l'ausilio del professore Frugoni. Fu tenuto un consulto e le speranze apparvero [illegible]. Alle ore 8,15 Luigi Pirandello spirava.

Fino all'ultimo la ragione dell'insigne Maestro è rimasta limpidissima. Egli non aveva voluto intorno a sè che i famigliari: i figli Stefano e Fausto, la figlia Lietta da appena 15 giorni tornata dal Cile, la nuora signora Olimpia e i suoi tre nipotini.

Nella imminenza della morte, lucidamente presentita egli ha rivolto ai suoi parole di sereno incoraggiamento. Fra l'altro ha detto ai suoi cari: «Vogliatevi bene».

Il solo rammarico che egli ha espresso è stato quello di non poter terminare alcuni lavori attorno a cui lavorava e cioè: «Le informazioni sul mio soggiorno involontario sulla terra» e soprattutto il dramma «I giganti della montagna» a cui manca il terzo atto.

L'illustre scrittore ha espresso anche il desiderio di essere tumulato in Agrigento.

In questi ultimi tempi egli aveva anche presenziato alle ultime riprese del «Fu Mattia Pascal» sceneggiato da Chenal.

La notizia della sua morte si è sparsa fulminea in città destando dovunque la più dolorosa sorpresa e impressione. Immediatamente alla casa dell'Estinto è stato un accorrere di amici e di estimatori dello Scomparso. Tra i primi a giungere è stato il Prof. Arturo Marpicati, Cancelliere dell'Accademia d'Italia che per primo ha voluto portare alla famiglia le profonde e sentite condoglianze dell'alto consesso.

Il grande tormentato

Dopo aver dubitato per tutta una vita, dopo aver veduto apparire e subito svanire la verità dinanzi al suo spirito assetato di conoscenza fino alla più fredda e ragionante esasperazione, una verità assoluta è venuta a battere l'ora improrogabile al suo capezzale.

E' stato, quell'istante, l'unico che abbia fatto pensare a Luigi Pirandello di non essere più solo nel mondo? O ha svegliato in lui l'infinito dolore di non essere riuscito a vedere nella vita sua e in quella degli altri uomini, la luce della fede, la bellezza della speranza, la poesia della resurrezione?

La risposta del Maestro morente è quella di un grande umile cuore. Il conforto supremo gli è venuto, prima di spirare, dal desiderio di andarsene povero. Nella sua povertà estrema egli ha veduto tutta la libertà del suo spirito, nella solitudine della terra che lo abbandonava senza rimedio.

Il suo vero io

Così, a chi vide in lui lo scettico o il cinico, il negatore d'ogni bontà e d'ogni giustizia, meglio che con la sua opera gigantesca egli ha mostrato il proprio vero, definitivo io pirandelliano.

Ma dall'istante in cui si è raccolto poveramente con tutta la grandezza del suo tormento d'uomo e d'artista, sotto l'ala della Morte, l'opera sua ha ricevuto una improvvisa illuminazione che ci costringe a rivederla, a ripensarla, a considerarla sotto l'impressione ricevuta dal suo estremo atto di fede.

Luigi Pirandello sofferse dentro di sè, tutte le sofferenze dei suoi personaggi. La sua solidarietà col dolore dei suoi personaggi è quasi tangibile nelle pagine dei suoi romanzi e delle sue novelle e sui palcoscenici vibranti delle sue commedie. Sofferenza, perciò, soggettiva di un uomo, più che sofferenza oggettiva di un artista.

Donde la novità dell'opera pirandelliana, in quanto risultato imponente di un profondo travaglio d'uomo espresso da una fantasia di poeta incapace di vedere il mondo se non sotto l'impulso prepotente della sua urgenza di scoprire, di rivelare e di confessare.

Ai fini superiori dell'arte, forse, il soggettivismo, in Pirandello, rimase troppo entro i confini rudi e roventi della vita. Così che sembra, ripensando alla sua prosa, lo scrittore abbia avuto troppo la cura di non apparir mai stilista nel senso classico della parola. Chi si ponga dinanzi al proprio pensiero una immagine spirituale di Luigi Pirandello, chi per poco pensi a tutta la «forma mentis» dell'uomo e dell'artista, non stenta a farsi una idea chiara di questa nativa, accanita ritrosia del grande Agrigentino. Avere uno stile, significava per lo scrittore del «Fu Mattia Pascal» e dei «Sei personaggi in cerca d'autore», essere degni di non averne precisamente uno. Avere uno stile in senso comune, era per lui atteggiarsi definitivamente, e quindi chiudersi dentro un atteggiamento immutabile. E ciò sarebbe stato in contrasto con tutta la concezione pirandelliana della vita che non voleva essere tradita dall'arte, ma interpretata da essa con la migliore fedeltà possibile.

Saremo noi a riconoscere Pirandello in ogni suo scritto, perfino in un solo periodo della sua scrittura; e perciò a intendere uno stile inconfondibilmente pirandelliano. Ma non fu mai lui a volersi fare uno stile. Ne ebbe quasi la ripugnanza. Diventato scrittore, infatti, in un'epoca in cui imperava in letteratura lo stilismo, egli si sentì più vicino al Verga delle novelle rusticane e dei grandiosi affreschi dei «Malavoglia» e del «Mastro Don Gesualdo», che non certamente al D'Annunzio.

Ma forse andò più oltre della rusticanità letteraria del Verga, fino a toccare i confini di una sorta di alto surrealismo in anticipo di circa mezzo secolo nella letteratura europea. E non si preoccupò di pensare che l'Addio [illegible] di Lucia, inverosimile canto in una contadina ignorantissima, è immortale in forza della sua letteraria soavi-tà, del suo perfetto stile poetico, della sua linda e melodiosa serenità italiana.

Più oltre del Verga «rusticano»; ma per la febbre di rappresentare la vita che era tutto il suo pensiero, tutta la sua pena; e, inconsolabile, irreducibile, per consolarsi, per quietarsi una pausa e l'altra della sua introspezione e della sua creazione, faceva eguale alla sua profondità dell'amarezza altrui, lo squallore delle altrui delusioni, la inutilità delle altrui lotte.

Il dolore umano

Gli parve troppo grande e degno di pietà il dolore degli uomini perchè valesse la pena di dimenticarlo e di dar posto nel suo mondo di artista alle aurore giocondo e ai tramonti rassegnati della poesia. La poesia espressa in pura lirica era stata un breve intermezzo della sua prima giovinezza. La prosa cruda divenne, invece, il suo strumento di rappresentatore della realtà.

Ogni artista ambisce di essere poeta in senso sostanziale. Luigi Pirandello non ebbe mai tale ambizione. Volle essere un creatore di vita, attraverso l'arte, ma non un poeta, non un letterato, non un mago.

In questa sua rinunzia alle facoltà prestigiose che la sua fantasia avrebbe forse potuto profondere, se egli non avesse tanto voluto forzare il suo pensiero e il suo sentimento, è una umiltà immensa. In questa sua rinunzia è anche la ragione della sua gloria di drammaturgo.

Solo una forza assoluta, libera da ogni compromissione, può destare interesse, simpatia, rispetto negli uomini di tutti i climi. E il Teatro di Pirandello che costituisce la manifestazione massima del tormento del grande siciliano, è appunto, una forza che pare forza della natura, tanto essa freme di sincerità, di volontà impetuosa, di nudezza sconsolata e quasi di brividente.

Pirandello è, come dicevamo, rappresentatore più che narratore. I suoi romanzi, le sue novelle rivelano una inquietudine di rappresentazione dei personaggi nelle loro radici. Essi, più che raccontarci le vicende del «Fu Mattia Pascal» o del «L'Esclusa», o de «I Vecchi e i Giovani» o di Serafino Gubbio, di Giustino Boccella nato Boggiolo o di «Uno, nessuno e centomila», vorrebbero rappresentarcele su un palcoscenico, vorrebbero renderle «vive» dinanzi a noi, attraverso attori capaci di essere quei personaggi e non altri, in tutto, con tutta la loro passione, capaci di annullarsi nelle maschere che la vita impone loro di portare sul viso e che l'arte di Pirandello sa bene esporre alla pietà del mondo.

Certezza dell'irrimediabile

Ogni tormento d'ogni personaggio è nell'opera di Pirandello, una certezza. L'insieme di tante certezze costituisce un dubbio immane, un groviglio da cui nessuna anima riesce a evadere, a malgrado di ogni suo tentativo, nonostante la sua ansia di salvezza. Questi esseri così perseguitati dal destino e dai propri simili, non riescono a convincersi che al di sopra del potere nostro è Dio che ascolta, sa e perdona. La vita non sa fare nulla perchè essi provino il sollievo di tanto conforto? O sono loro che non riescono ad alzare lo sguardo oltre le tenebre del loro patimento? Il dolore li ha resi tanto ciechi da impedir loro di vedere Dio?

Triste, la certezza dell'irrimediabile che caratterizza i personaggi di Pirandello. E sono personaggi delle penombre della città, dal cui dolore sorge certo il fiore della gioia dei pochi fortunati mortali capaci di resistere in ogni modo alle tempeste e di attendere con salute e lietezza il ritorno della primavera dopo ogni inverno. Personaggi di una piccola borghesia in disfacimento: modesti impiegati, mediocri professionisti, donne smarrite, vecchi rovinati; delle città continentali e di antichi paesi siciliani. E' il mondo dell'anteguerra italiano. Il mondo vasto dei mortificati, dei dimenticati, dei diseredati, dei vinti. Pirandello si volge a questo mondo [illegible]. Non era, però, in questo suo sentimento soltanto l'adesione istintiva del cuore inaridito da una tragica solitudine spirituale, ma la riflessione della mente che invano era andata a cercare, da giovane, a Bonn e a Wiesbaden, una eccelsa panacea. Vero è che sulla sua educazione filosofica non avevano potuto non esercitare una seria influenza, Kant, Hegel, Bergson, e altri maestri, ma il suo «io» di solista era prettamente nativo, il suo loicismo era siciliano.

Pirandello volle essere meno filosofo di quel che egli non sembrasse nella sua opera. Pirandello fu, piuttosto, un tenace appassionato della vivisezione psichica. Così operando nell'anima dei suoi personaggi egli sperava forse di comprendere meglio se stesso. Un procedimento così deciso e, sovente, esasperato, diede l'impressione a molti, che l'arte di Pirandello fosse soltanto un'arte cerebrale e che il cuore dell'artista fosse quasi del tutto estraneo al serrato, sorprendente e spesso quasi denunciato gioco delle parti di ogni commedia dell'Agrigentino.

Errore di quanti continuavano, come nell'anteguerra, ad ammettere sulle ribalte soltanto il Teatro di Sardou o di Donnay, di Bernstein o di Bataille, di Giacosa o di Rovetta. Errore di quanti amavano vedere rappresentata la vita attraverso la tradizione teatrale delle «stabilità» dei caratteri umani. Errore di quanti non volevano al teatro guastarsi il fegato o la digestione dinanzi a scene che non fossero la canzone dell'amore felice o quella della giustizia infallibile. Errore di quanti non vedevano attorno al loro benessere, il tragico quotidiano dei pescatori di Acitrezza o dei minatori delle zolfare, o dei contadini sperduti nelle paludi.

La vita nuda

«Amico mio, — disse Pirandello un giorno a un redattore del «Corriere della Sera» — quando uno vive, vive e non si vede. Orbene, fate che si veda nell'atto di vivere, in preda alle sue passioni, ponendogli uno specchio davanti: o resta attonito e sbalordito dal suo stesso aspetto, o torce gli occhi per non vedersi, o sdegnato tira uno sputo alla sua immagine, o irato avventa un pugno per infrangerla; e se piangeva, non può più piangere; e se rideva, non può più ridere. Insomma, nasce un guaio per forza. Questo guaio, è il mio teatro».

Mille volte si è perchè mille volte ci pare di essere. E noi siamo in quanto ci pare di essere come noi ci illudiamo o come il mondo crede che noi siamo. Non esiste dunque una realtà immutabile del nostro essere. Esiste una realtà mutevolissima del nostro essere, a seconda delle azioni e reazioni nostre e altrui.

Fine, dunque, per Pirandello della così detta commedia di carattere. Bando alla grande finzione fatta per nascondere tutte le verità di tutte le finzioni. La vita, la vita vera nuda. Così è, se vi pare. Questo l'ideale di Pirandello artista.

Ideale, in fondo, di tutti gli autentici geni dell'arte. Ma, in Pirandello, si tramutò in una febbre frenetica, categorica, esclusiva, una febbre che non concede alcuna oasi di pace, tranne in «Liolà» una commedia sanguigna e spensierata, tutta rivolta da ardenti aliti della feconda natura mediterranea.

Questa febbre trae noi di rado in inganno, con le esteriorità innumerevoli e pittoresche del suo «umore». L'umorismo è l'aspetto più lieve e più efficace dell'arte di Pirandello, è lo stato di grazia dell'artista. C'è, appunto, un umorismo pirandelliano, vale a dire originale. E come ogni puro umorismo, risulta da una raffigurazione attentissima della verità umana vista da ogni angolo visuale. «La giara», «Tu ridi», «La rallegrata», sono esempi principi dell'umorismo pirandelliano. Esempi ai quali si potrebbe aggiungere un elenco di almeno altre cento novelle.

Da molte novelle Pirandello derivò le trame di commedie diventate celebri. [illegible] spirituale della sua opera [illegible] narratore in quella del commediografo.

Ma, come s'è detto, il Teatro fu il suo massimo potere di rappresentatore del suo dramma e dei drammi dei suoi personaggi. Nel suo Teatro, a varie tappe, Pirandello raggiunse la vetta del dominio anche quando il pubblico dell'«Argentina» la sera della prima rappresentazione di «Sei personaggi in cerca d'autore» si divise in due fazioni furiose e Pirandello dovette sparire per la porta del palcoscenico per evitare di imbattersi nelle contumelie degli spettatori che nulla avevano capito di quella stupenda architettura psicologica e scenica. Ma i «Sei personaggi» trionfarono dopo la tempestosa prima loro apparizione, e in Italia e attraverso traduzioni in tutte le lingue, in ogni parte del mondo.

La sua magia

La tecnica nel Teatro di Pirandello rimane una vera e propria magia di artista. La tecnica che è movimento continuo, come nei più grandi drammaturghi di tutti i secoli, non soltanto di persone, ma di pensieri, di sentimenti. Una tecnica che è fatta di scoppi di scena e dialoghi e non soltanto esteriori. Una tecnica che affascina lo spettatore con la vivezza, l'aderenza, la essenzialità delle battute, anche se lo spettatore non riesce — non sempre per colpa propria — a penetrare con facilità nella tessitura dell'opera d'arte. Una tecnica che, superba, vuole non convincere ma essere compresa.

Nel Teatro e nella gloria e nella ricchezza che essi gli diedero, Pirandello potè chiudersi come in un suo regno. Misconosciuto e combattuto dopo [illegible] di Sicilia» e [illegible] la festa e la virtù» egli continuò più ostinato e sicuro che mai a riempire l'afosa atmosfera della vita italiana, dei bagliori della sua rivoluzione spirituale. E le polemiche furono aspre ma fertili. E alle polemiche successero a poco a poco i riconoscimenti. E poi vennero i trionfi. Dopo la grande guerra, il tormento pirandelliano fu al teatro assorbito con naturalezza dalle folle. La fama dello scrittore si propagò nell'antico e nel nuovo Continente. Egli apparve lieto nel sentirsi reso dalla sorte ingiusta che aveva pesato sulla sua arte di novelliere e di romanziere fino ai cinquant'anni. Una nuova giovinezza germogliò nel suo sangue, fiorì nel suo spirito. Continuò a scrivere commedie su commedie, viaggiando per le Americhe, l'Europa, da un capo all'altro, senza mai avvertire stanchezza. Visse anni di altissima felicità quando potè affidare a un'attrice dalla sensibilità tutta pirandelliana, Marta Abba, le opere sue più suggestive. E il lavoro era il vero pane del suo spirito, anche ancora, negli ultimi anni. Sazio di allori Luigi Pirandello non cercava più nell'applauso del pubblico alcuna ragione di contentezza. [illegible] quando gli era stata offerta da Mussolini. Per Mussolini, Pirandello ardeva di ammirazione.

Serenità

Rimangono incompiute le «Informazioni sul mio involontario soggiorno sulla Terra», l'opera di cui egli fu ospite l'estate scorsa a Venezia. Un'opera che sarebbe stata un sommario di annotazioni personali preziosissime. Un testamento spirituale forse. Ma che non voleva essere l'ultimo. Voleva essere invece un nuovo intermezzo. Un'altra giovinezza pareva aspettasse di fiorire nel Maestro, durante le feste sulla laguna, nella notte del Redentore. Alla rappresentazione delle «Baruffe chiozzotte» alla Giudecca, lo avevano veduto ridere come un bambino. [illegible]

La sua anima profonda era tutta in quella tenerezza che egli sapeva profondere ai suoi famigliari e ai suoi amici. [illegible] la tenerezza e la venerazione delle creature del suo sangue. S'era riconciliato, finalmente, con la poesia della vita, con la poesia che insegna a non disperare.

Proprio allora, però, l'ombra funesta cominciava a contare i giorni del grande rappacificato.

Giuseppe Patanè

La vita e le opere

Luigi Pirandello, il più fecondo dei commediografi italiani contemporanei, era nato a Girgenti il 29 giugno 1867.

Seguì gli studi classici a Palermo e a Roma, e dopo avere vissuto alcun tempo aiutando il padre nella gestione di una zolfara di proprietà della sua famiglia, si recò a Roma, in Germania, a Bonn, dove studiò filosofia.

Scrisse in quel tempo le «Elegie del Reno» e tradusse le «Elegie romane» di Goethe. In Germania si laureò poi brillantemente il 21 marzo 1991 sostenendo una difficile tesi morfologica sui dialetti greco-siculi.

Tornato in patria ed ammogliatosi, si stabilì a Roma ove incominciò a farsi notare nel mondo letterario per articoli pubblicati sul «Don Chisciotte» e sul «Marzocco», per il romanzo «L'Esclusa». Il Capuana che aveva compreso il valore del giovane scrittore, lo presentò ad alcuni editori che gli pubblicavano in brevissimo tempo «La Morsa», «Beffe della vita e della morte», «Quand'ero matto» e novelle racconti e impressioni che egli aveva raccolti in sei anni di attesa. Alla rovina economica che lo colpì dopo l'inondazione della zolfara paterna, si deve «Il fu Mattia Pascal» a sfondo biografico e che egli vendette alla «Nuova Antologia» allora diretta dal Cena, prima ancora di averne scritta una riga. E in quel tempo decise anche di giovarsi della sua laurea e volle dedicarsi all'insegnamento. Dal 1897 al 1922 fu infatti professore di estetica e stilistica nelle regie scuole medie.

Ma il suo romanzo gli diede buona rinomanza. Treves pubblicò allora un libro di novelle «Erma bifronte» che gli valse di essere accolto nella famiglia del «Corriere della Sera» come collaboratore della terza pagina. Da un grave e lungo dolore familiare nacque il tormentato suo pensiero e l'inquietudine che trasfondera poi nell'arte. Verso il 1916 si diede al Teatro affermandosi come uno degli scrittori più geniali del tempo moderno e conquistando una solida fama anche al di là delle nostre frontiere ove con la rappresentazione dei suoi lavori svolse sovente e con successo opera di alta italianità.

Dal 18 marzo 1929 era accademico d'Italia. L'8 novembre 1934 l'Accademia svedese gli assegnava il Premio Nobel per la letteratura. Il numero delle sue opere è notevolissimo e di fama universale e ricchissima la sua produzione teatrale.

OPERE: *Mal giocondo* (versi), Torino, Palermo, 1889; *Pasqua di Gea* (versi), Milano, 1891; *Amori senza amore*, Roma, 1894; *Beffe della morte e della vita* (novelle), Firenze 1902; *Il turno* (romanzo), Catania, 1902; *Quand'ero matto*, (romanzo), Torino 1902; *Bianche e nere*, (novelle), Torino, 1904; *Il fu Mattia Pascal* (romanzo), Roma, 1904; *Erma Bifronte* (novelle), Milano 1906; *L'esclusa*, (romanzo), Milano, 1908; *La vita nuova*, (romanzo), Milano, 1908; *L'umorismo*, Lanciano, 1908; *Arte e scienza*, Roma, 1908; *Suo marito*, (romanzo), Firenze, 1911; *Terzetti*, (novelle), Milano, 1912; *Fuori di chiave*, (versi), Genova, 1912; *I vecchi e i giovani*, (romanzo), ib. 1913; *Le due maschere*, (novelle), Firenze, 1914; *La trappola*, Milano, 1915; *Erba del nostro orto*, (novelle), Milano, 1915; *Si gira*, (romanzo), Milano, 1916; *E domani lunedì...* (novelle), Milano, 1917; *Liolà*, (commedia campestre), Roma, 1917; *Un cavallo nella luna*, (novelle), Milano, 1918; *Così è (se vi pare)*, (commedia), Roma, 1918; *Il carnevale dei morti*, (novelle), Firenze, 1919; *Il giuoco delle parti*, (dramma), Roma, 1919; *Tu ridi*, (novelle), Milano, 1919; *Berecche e la guerra* (novelle), Milano, 1919; *Ma non è una cosa seria*, (commedia) Milano, 1919; *Tutto p*[illegible] (commedia), Firenze, 19[illegible]; [illegible] *personaggi in cerca di* [illegible] (commedia), Firenze, 1921; [illegible] *le per un anno*, Firenze [illegible] sgg.; *Enrico IV*, (dramma), [illegible] ze, 1923; *La signora Morli* [illegible] *due* (commedia), Firenz[illegible]; *Vestire gli ignudi*, (commedia), Firenze, 1923; *La vita che ti diedi*, (commedia), Firenze, [illegible]; *L'uomo, la bestia e la virtù*, [illegible] (apologo), Firenze, 1925; *Pens*[illegible] *Giacomino*, Firenze, 1925; [illegible] *nessuno e centomila*, (romanzo), Firenze, 1926; *L'amica delle mogli*, (commedia), Firenze, 19[illegible]; *Diana e la Tuda*, (tragedia), Firenze, 1927; *La nuova colonia* (tragedia), Firenze, 1928; [illegible] *uno o di nessuno*, (tra[illegible]) Firenze, 1929; *Lazzaro* [illegible] Milano, 1930; *Come tu mi vuoi*, Milano, 1930; *Questa sera si recita a soggetto*, Milano, 1930; *Non si sa come*, dramma in 3 atti; *I giganti della montagna*, mito in 3 atti (incompiuto); *Informazioni sul mio soggiorno involontario sulla terra* (incompiuto).

L'impressione all'estero

A Buenos Ayres

BUENOS AIRES, 10.

La notizia della improvvisa morte di Pirandello ha profondamente commosso gli ambienti intellettuali ed artistici della capitale.

Anche la popolazione ha manifestato il suo cordoglio per la scomparsa dell'illustre accademico, ben noto attraverso la diffusione dei suoi libri [illegible] presentazione delle sue [illegible] vetrine dei librai [illegible] te di opere pirand[illegible] nali della sera d[illegible] pagine al Pirandell[illegible] opera, ricordando la [illegible] zione avvenuta a [illegible] del suo dramma «[illegible] qualcuno» e le rappresentazioni delle s[illegible] Numerosi attori, att[illegible] ri di teatri hanno [illegible] l'Ambasciata d'Italia [illegible] l'arte scenica [illegible] scomparsa di Pir[illegible]

E' in corso di [illegible] una serata dram[illegible] all'illustre accade[illegible] sentazione di [illegible] sue commedie e [illegible] memorazione che [illegible] personalità artistic[illegible]

A Pari[illegible]

La morte di Pirand[illegible] stato nel pubblico fr[illegible] fonda commozione. [illegible] consacrano ampie [illegible] l'illustre accademico, [illegible] ne la fama mondiale di letterat[illegible] di drammaturgo e scienziato.

L'Accademia francese ha d[illegible] nel pomeriggio di inviare al Pr[illegible]sidente dell'Accademia d'Ital[illegible] S. E. Marconi il seguente telegramma: «L'Accademia francese apprendendo la morte del grande scrittore dell'illustre e ori[illegible]nale drammaturgo Luigi Pirandello inventore di formule nuove, invia all'Accademia reale d'Italia l'omaggio della sua profonda e fraterna simpatia».

A Budapest

BUDAPEST, [illegible]

Tutti i giornali dedicano lunghi articoli alla figura di Luigi Pirandello, rievocando la [illegible] del grande scrittore italiano s[illegible]parso.

A Stoccolma

STOCCOLMA, [illegible]

La stampa svedese ricorda [illegible] altissime doti di drammaturgo, di analista, e di psicologo di Pirandello, vincitore del Premio Nobel per la letteratura del [illegible] e rileva come con lui sia [illegible] un integro e puro italiano.

A Riga

RIGA, [illegible]

La notizia dell'improvvisa morte di Pirandello, ha sinceramente rattristato gli ambienti letterari baltici. Tutti i giornali estoni, [illegible]toni, lituani, pubblicano il telegramma «Stefani» sotto grandi titoli.

Stasera nei circoli giornalistici di Riga si commentava la triste notizia dicendo che la morte di Pirandello è un lutto che colpisce la letteratura mondiale.

Un treno CIT per l'Ungheria

ROMA, 10.

A titolo di scambio ai due treni turistici «Cit» effettuati recentemente da Budapest in Italia la «Cit» organizza un treno per Budapest in partenza da Trieste il 27 corr.

I partecipanti usufruiranno di passaporto collettivo e di speciali facilitazioni per raggiungere Trieste.

La Madonna di Loreto festeggiata dall'Aeronautica

ROMA, 10.

Stamane in occasione della festa della Madonna di Loreto, Patrona dell'arma aeronautica, ha avuto luogo nella Chiesa di Sant'Ignazio a iniziativa del Ministero dell'Aeronautica una solenne funzione religiosa cui sono intervenuti tutti gli ufficiali e sottufficiali del Presidio aeronautico e un battaglione armato. Erano presenti, tra gli altri, il Comandante la terza zona aerea generale Porro, ufficiali generali delle altre forze armate, il Preside della Provincia di Roma, i rappresentanti della Prefettura del Governatorato e di altri Enti e amministrazioni cittadine. La Messa è stata celebrata da Mons. Trossi Cappellano maggiore dell'Aeronautica e della Marina, il quale ha poi rivolto agli ufficiali e alla truppa un breve discorso per illustrare il significato della ricorrenza odierna e ha infine recitato la Preghiera alla Madonna di Loreto e quella per il Re.

Nel pomeriggio S. E. il Cardinale Nasalli Rocca, Arcivescovo di Bologna, si è recato al campo di aviazione di quella città, a Borgo Panicale, ove ha proceduto alla benedizione della nuova bandiera del campo stesso.

S. E. è stato ricevuto dal comandante la 3.a Divisione aerea generale Ranza, dal generale comandante la prima brigata aerea e da tutti gli ufficiali. Dopo la cerimonia della benedizione è seguito il suggestivo rito dell'alzabandiera.

VETRINA DELLE LETTERE

Le opere di Belli

Le opere di Giuseppe Gioacchino Belli, delle quali da lunghi anni s'invoca un'edizione, e non si hanno che brevi antologie di versi [illegible], entrano [illegible] nella collezione dei «Classici Mondadori» e saranno edite con criteri [illegible] che han presieduto alla stampa del Bandello, del Goldoni, del Boiardo e del Leopardi.

Nè ad includere in questa collana, che accoglie tutte le opere dei Classici, poteva sembrare [illegible] l'avere il Belli scritto prevalentemente nell'idioma romanesco.

Se dunque i suoi versi nacquero nell'aureo linguaggio del romani, — tanto vicino, del resto, agli spiriti della lingua italiana, da essere correntemente inteso in tutte le regioni d'Italia ed anche, senza appositi studi, da ogni straniero che conosca la lingua di Dante — il Belli è pure una delle più potenti nature di poeti che l'Italia dell'Ottocento abbia espresso: d'una ricchezza, d'una varietà e di una novità senza esempi, nello stile e nella sintassi più italiani che si possa mai chiedere.

Sarà poi una fresca brezza nelle file degli altri Classici, con quella invenzione e fantasia sempre giovane di grandiosi grotteschi, e di ritratti e aneddoti e motti pei quali egli non ha forse rivali nè in Italia nè altrove: ma anche con quelle meno note ma più profonde voci patetiche, in cui si spezza un'arte nuda e umanissima.

Le opere del Belli — curate da Giuseppe Ceccarelli, da Luigi De Gregori e da Ettore Veo — saran precedute da una introduzione sulla vita e le opere dello scrittore e da una ragionata cronologia; saran corredate di note storiche e dialogiche; avranno un glossario per le rare forme meno necessitate, una bibliografia, un indice dei nomi e delle cose notabili.

Un masnadiero russo

La Russia subcarpatica, pittoresca regione di montanari ricca di acque e di selve, ha conosciuto nell'immediato dopoguerra ogni miseria, perchè i trattati le imposero tutta una serie di padroni temporanei e spogliatori. Il malcontento della popolazione, povera di risorse e ostile ai governi, si incarnò in una figura di brigante indiavolato, invulnerabile e generoso, uno di coloro che «non uccidono senza necessità, rubano al ricco per donare al povero». Le sue gesta, intorno alle quali già fiorisce la leggenda, sono narrate con ritmo gagliardo di rapsodo da Ivan Olbracht nel romanzo «Nicola Schuhaj, il masnadiero» che appare nella mondadoriana «Medusa». Nella mirabile traduzione di Giacomo Prampolini l'opera del giovane scrittore ceco, che interpreta stupendamente la selvaggia natura delle valli subcarpatiche, conserva tutta la sua originale bellezza. Questo è il primo romanzo ceco che appare nella «Medusa» la quale, fedele al proprio programma, continua a presentare i più interessanti narratori contemporanei.

LA RICERCA PSICHICA. — Ecco il sommario del nuovo fascicolo: A. Mazzorati: Il crepuscolo degli idoli; Precursori della Ricerca Psichica: C. Cardano (dav. fuori testo); F. Paroselli: E. Bozzano: Delle manifestazioni olfattive d'ordine patologico, telepatico, supernormale (contin. e fine); Per la Ricerca Psichica: A proposito di levitazione. Elettricità umana (A. B.); R. Fevi: La Morte; I libri: V. Racca: La lotta col Demone di St. Zweig; A. Saettì: Psicodramma; L. Zainaghi: Le influenze astrali; Discussioni e commenti: Risposta al dott. Brussi; M. Richardi: A proposito de «L'influenza invisibile»; L. Comolli: Sul fluido nervoso; A. De Meo; P. La Via: L'orma dello spirito; Riviste italiane ed estere: La Metapsichica e le scienze naturali, Semi di Mango; Un caso di reincarnazione (f. n.); A. De Sanctis Mangelli: Amuleti e formule verbali; Notiziario a. p.; Le nostre conferenze (L. L.).

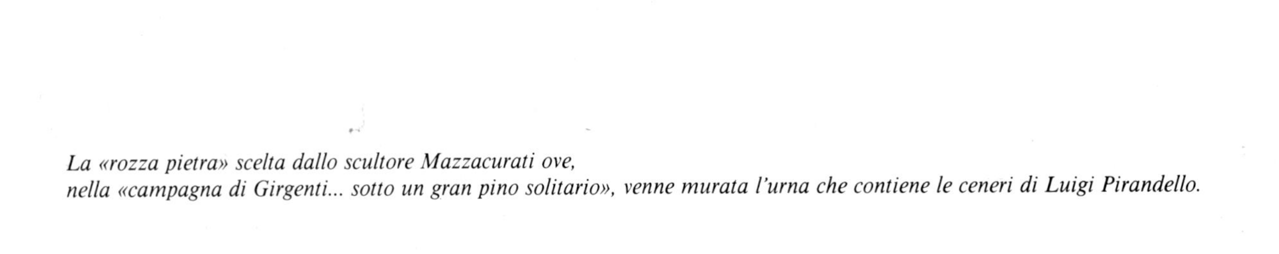

La «rozza pietra» scelta dallo scultore Mazzacurati ove,
nella «campagna di Girgenti... sotto un gran pino solitario», venne murata l'urna che contiene le ceneri di Luigi Pirandello.

nelle pagine seguenti:

Turi Ferro in «Liolà» e «Ciampa» (due produzioni del Teatro Stabile di Catania diretto da Mario Giusti)

...ma i suoi personaggi vivono ancora...

English captions by Lucia Muscarà

pp. 75-80 : Mimì Aguglia.
pp. 81-83 : Angelo Musco.
p. 84 : Marianna Catalisano Balistrieri.
p. 85 : Vittorio Emanuele Balistrieri.
p. 85 : Rosina Balistrieri.
p. 85 : Gennaro Balistrieri.
pp. 86-87 : Carolina Balistrieri Bragaglia.
pp. 88-90 : Virginia Balistrieri Grasso.
pp. 91-92 : Desdemona Balistrieri Musco.
pp. 93-94 : Tommaso Marcellini.
pp. 94-95 : Iole Campagna Marcellini.
p. 96 : The success of Sicilian theatre in Italy and abroad. Soon a number of non-sicilian writers, too, wished to have their plays performed by Giovanni Grasso, Angelo Musco and their valiant companions.
p. 97 : «L'Attualità Settimanale», Rome, September 17, 1904. Special number dedicated to *La figlia di Iorio* by Gabriele d'Annunzio in Sicilian dialect.
p. 98 : Giuseppe Antonio Borgese, Mimì Aguglia, Gabriele d'Annunzio, Giovanni Grasso, Adolfo De Carolis at the time of *La figlia di Iorio.*
pp. 99-102: Mimì Aguglia as «Mila di Codro».
p. 103 : Totò Maiorana in *La figlia di Iorio* by Gabriele d'Annunzio.
p. 103 : Carolina Balistrieri in *La figlia di Iorio* by Gabriele d'Annunzio.
pp. 104-105: *La figlia di Iorio* by Gabriele d'Annunzio (scenes from the performance).
p. 106 : Reproduction of the playbill of *La figlia di Iorio* by Gabriele d'Annunzio.
p. 107 : «The Daily Mirror», London, March 1, 1910.
p. 108 : Luigi Pirandello.
p. 109 : Luigi Pirandello and his biographer Federico Vittore Nardelli.
pp. 110-111: Luigi Pirandello in his study.
p. 112 : Reproduction of the autograph letter from Luigi Pirandello to Nino Martoglio. Rome, August 1, 1907.
p. 113 : Luigi Pirandello, *Teatro Siciliano*?, «Rivista Popolare di Politica, Lettere e Scienze sociali», Rome, January 31, 1909.
p. 114 : Luigi Pirandello in a caricature by Roxas.
p. 114 : Luigi Pirandello at the book Fair (design by Ugo Fleres).
p. 115 : Luigi Pirandello at his typewriter.
p. 116 : Luigi Pirandello at his desk.
p. 117 : Angelo Musco, his Company, his actors, his successes, Luigi Pirandello's Sicilian season, his cooperation with Nino Martoglio, contemporary authors and critics.
pp. 118-122: Angelo Musco.
pp. 123-124: The Angelo Musco Company.
p. 125 : Turi Pandolfini.
pp. 126-127: Rosina Anselmi.
p. 128 : Cr., *Politeama Pacini. "Lumìe di Sicilia"*, «Corriere di Catania»,

Légende française de Carminella Sipala

p. 129 : Le théâtre «Politeama» Pacini (dans ce théâtre Angelo Musco a joué pour la première fois une pièce de Pirandello).
p. 130 : Turi Pandolfini et Angelo Musco à leurs premier succès: *Lu paraninfu* de Luigi Capuana, Théâtre Filodrammatici, Milan, le 12 avril 1915.
p. 131 : Luigi Pirandello.
p. 132 : Angelo Musco dans *Pensaci, Giacomino!* de Luigi Pirandello.
p. 133 : Reproduction du manuscrit de *Pensaci, Giacomino!* de Luigi Pirandello.
p. 134 : Reproduction de la lettre autographe de Luigi Pirandello à Nino Martoglio. Rome, le 10 mars 1916.
p. 135 : Reproduction de la lettre autographe de Luigi Pirandello à Angelo Musco. Non datée, supposée du 24 juillet 1916.
p. 136 : Turi Pandolfini et Rosina Anselmi dans *Pensaci, Giacomino!* de Luigi Pirandello.
p. 137 : G.M. [Giuseppe Meoni], *«Pensaci, Giacomino!» di Luigi Pirandello al Nazionale*, «Il Messaggero», Rome, 11 juillet 1916.
p. 138 : Tom [Eugenio Checchi], *«Pensaci, Giacomino!» di Luigi Pirandello al Teatro Nazionale*, «Il Giornale d'Italia», Rome, 12 juillet 1916.
p. 139 : M.C. [Mario Corsi], *«Pensaci, Giacomino!» di Luigi Pirandello*, «La Tribuna», Rome, 12 juillet 1916.
p. 140 : a.t. [Adriano Tilgher], *«Pensaci, Giacomino!» di Luigi Pirandello al Teatro Nazionale*, «La Concordia», Rome, 12 juillet 1916.
p. 141 : Angelo Musco dans *Liolà* de Luigi Pirandello.
p. 141 : Turi Pandolfini, dans le rôle de «'u zu Simuni», dans *Liolà* de Luigi Pirandello.
pp. 142-145: Reproduction de l'autographe de *Liolà* de Luigi Pirandello.
p. 146 : Reproduction du manuscrit de *Liolà* de Luigi Pirandello.
p. 147 : Luigi Pirandello, *Liolà*, Rome, Formìggini, 1917.
p. 147 : Reproduction de la lettre autographe de Luigi Pirandello à Nino Martoglio. Rome, le 8 septembre 1916.
pp. 148-151: La Compagnia Musco autour de Luigi Pirandello le lendemain de la première de *Liolà*.
pp. 152-154: Reproduction de l'autographe de *'A birritta cu 'i ciancianeddi* de Luigi Pirandello.
p. 155 : Reproduction du manuscrit de *'A birritta cu 'i ciancianeddi* de Luigi Pirandello.
p. 156 : Reproduction de la lettre autographe de Luigi Pirandello à Nino Martoglio. Rome, le 14 août 1916.
p. 157 : Photographie d' Angelo Musco, avec dédicace «À Luigi Pirandello dévotement».
p. 158 : Reproduction de la lettre autographe de Luigi Pirandello à Nino Martoglio. Rome, le 24 janvier 1917.
p. 159 : Reproduction de la lettre autographe de Luigi Pirandello à Nino Martoglio. Rome, le 29 janvier 1917.
p. 160 : Reproduction de la lettre autographe de Luigi Pirandello à Nino Martoglio. Rome, le 4 février 1917.

Deutsche Bilderlöuterungen: Grazia Pulvirenti

S. 70 : Familie Spadaro.
S. 71-74 : Marinella Bragaglia.
S. 75-80 : Mimì Aguglia.
S. 81-83 : Angelo Musco.
S. 84 : Marianna Catalisano Balistrieri.
S. 85 : Vittorio Emanuele Balistrieri.
S. 85 : Rosina Balistrieri.
S. 85 : Gennaro Balistrieri.
S. 86-87 : Carolina Balistrieri Bragaglia.
S. 88-90 : Virginia Balistrieri Grasso.
S. 91-92 : Desdemona Balistrieri Musco.
S. 93-94 : Tommaso Marcellini.
S. 94-95 : Iole Campagna Marcellini.
S. 96 : Der Erfolg des sizilienischen Theaters in Italien und in Ausland Bald wollten auch nicht-sizilianische Autoren von Giovanni Grasso und Angelo Musco sowie ihren tüchtigen Gefährten aufgeführt werden.
S. 97 : «L'Attualità Settimanale» Rom, 17. September 1904. Sondernummer. Dem werk *La figlia di Iorio* von Gabriele d'Annunzio gewidmet.
S. 98 : Giuseppe Antonio Borgese, Mimì Aguglia, Gabriele d'Annunzio, Giovanni Grasso, Adolfo De Carolis zur Zeit von *La figlia di Iorio.*
S. 99-102 : Mimì Aguglia in «Mila di Codro».
S. 103 : Totò Maiorana in *La figlia di Iorio* von Gabriele d'Annunzio.
S. 103 : Carolina Balistrieri in *La figlia di Iorio* von Gabriele d'Annunzio.
S. 104-105 : *La figlia di Iorio* von Gabriele d'Annunzio (Szenen aus der Vorstellung).
S. 106 : Reproduktion des Theaterzettels von *La figlia di Iorio* von Gabriele d'Annunzio.
S. 107 : «The Daily Mirror», London, den 1. März 1910.
S. 108 : Luigi Pirandello.
S. 109 : Luigi Pirandello und sein Biograph Federico Vittore Nardelli.
S. 110-111: Luigi Pirandello in seinem Arbeitszimmer.
S. 112 : Reproduktion des eigenhändigen Briefes von Luigi Pirandello an Nino Martoglio. Rom, den 1. August 1907.
S. 113 : Luigi Pirandello, *Sizilianisches Theater?*, «Rivista Popolare di Politica, Lettere e Scienze sociali», Rom, den 31. Januar 1909.
S. 114 : Luigi Pirandello. Einearikatur von Roxas.
S. 114 : Luigi Pirandello während der Buchmesse (Zeichnung von Ugo Fleres).
S. 115 : Luigi Pirandello an der Schreibmaschine.
S. 116 : Luigi Pirandello an seinem Arbeitstisch.
S. 117 : Angelo Musco, seine Schauspielertruppe, seine Schauspieler, seine Erfolge, die sizilianische Saison Luigi Pirandellos und sein Freundschaftsbund mit Nino Martoglio, zeitgenössische Schriftsteller und Kritiker.
S. 118-122: Angelo Musco.
S. 123-124: Die Schauspielertruppe Musco.

S. 125 : Turi Pandolfini.
S. 126-127: Rosina Anselmi.
S. 128 : Cr., *Schauspielhaus Pacini. "Lumìe di Sicilia"*, «Corriere di Catania», Catania, den 2. Juli 1915 (Erste Aufführung eines Werkes von Luigi Pirandello. Von Angelo Musco gespielt).
S. 129 : Schauspielhaus Pacini (zum ersten Mal spielte Angelo Musco einen Text Pirandellos auf dieser Bühne).
S. 130 : Der erste Erfolg von Turi Pandolfini und Angelo Musco. *Lu paraninfu* von Luigi Capuana, Mailand, Teatro dei Filodrammatici, den 12. April 1915.
S. 131 : Luigi Pirandello.
S. 132 : Angelo Musco in *Pensaci, Giacomino!* von Luigi Pirandello.
S. 133 : Reproduktion des Manuskripts von *Pensaci, Giacomino!* von Luigi Pirandello.
S. 134 : Reproduktion eines eigenhändigen Briefes von Luigi Pirandello an Nino Martoglio, Rom, den 10. März 1916.
S. 135 : Reproduktion des eigenhändigen Briefes von Luigi Pirandello an Angelo Musco. Ohne Datum. Wahrscheinlich den 24. Juli 1916.
S. 136 : Turi Pandolfini und Rosina Anselmi in *Pensaci, Giacomino!* von Luigi Pirandello.
S. 137 : G.M. [Giuseppe Meoni], *«Pensaci, Giacomino!» von Luigi Pirandello im Theater Nazionale*, «Il Messaggero», Rom, den 11. Juli 1916.
S. 138 : Tom [Eugenio Checchi], *«Pensaci, Giacomino!» von Luigi Pirandello im Theater Nazionale*, «Giornale d'Italia», Rom, den 12. Juli 1916.
S. 139 : M.C. [Mario Corsi], *Pensaci, Giacomino! von Luigi Pirandello*, «La Tribuna», Rom, den 12. Juli 1916.
S. 140 : a.t. [Adriano Tilgher], *«Pensaci, Giacomino!» von Luigi Pirandello im Theater Nazionale*, «La Concordia», Rom, den 12. Juli 1916.
S. 141 : Angelo Musco in *Liolà* von Lui Pirandello.
S. 141 : Turi Pandolfini, «'u zu Simuni», in *Liolà* von Luigi Pirandello.
S. 142-145: Reproduktion des Autographs von *Liolà* von Luigi Pirandello.
S. 146 : Reproduktion des Manuskripts von *Liolà* von Luigi Pirandello.
S. 147 : Luigi Pirandello, *Liolà*, Rom, Formìggini, 1917.
S. 147 : Reproduktion des eigenhändigen Briefes von Luigi Pirandello an Nino Martoglio. Rom, den 8. September 1916.
S. 148-151: Die Theatertruppe Musco mit Luigi Pirandello nach der Erstaufführung von *Liolà*.
S. 152-154: Reproduktion des Autographs von *'A birritta cu 'i ciancianeddi* von Luigi Pirandello.
S. 155 : Reproduktion des Manuskripts von *'A birritta cu 'i ciancianeddi* von Luigi Pirandello.
S. 156 : Reproduktion des eigenhändigen Briefes von Luigi Pirandello an Nino Martoglio. Rom, den 14. August 1916.
S. 157 : Photos von Angelo Musco mit der Widmung für Luigi Pirandello.
S. 158 : Reproduktion des eigenhändigen Briefes von Luigi Pirandello an Nino Martoglio. Rom, den 24. Januar 1917.

S. 159 : Reproduktion des eigenhändigen Briefes von Luigi Pirandello an Nino Martoglio. Rom, den 29. Januar 1917.
S. 160 : Reproduktion des eigenhändigen Briefes von Luigi Pirandello an Nino Martoglio. Rom, den 4. Februar 1917.
S. 161 : Reproduktion des eigenhändigen Briefes von Luigi Pirandello an Nino Martoglio. Rom, den 8. Februar 1917.
S. 162 : M.C. [Mario Corsi]. *«Il berretto a sonagli» von Pirandello im Theater Nazionale*, «La Tribuna», den 29. Juni 1917.
S. 163 : Tom [Eugenio Checchi], *Il berretto a sonagli*, «Giornale d'Italia», Rom, den 29. Juni 1917.
S. 164 : Vice, *«Il berretto a sonagli» von Luigi Pirandello*, «Il Messaggero», Rom, den 29. Juni 1917.
S. 165 : Reproduktion des eigenhändigen Briefes von Luigi Pirandello an Nino Martoglio. Rom, den 23. Oktober 1916.
S. 166 : Reproduktion des Autographs von *'A Giarra* von Luigi Pirandello.
S. 167 : Turi Pandolfini, in «zi Dima». Von Onorato gesehen.
S. 168 : Reproduktion des Autographs von *'A Giarra* von Luigi Pirandello.
S. 169-170: Reproduktion des Autographs von *'A patenti* von Luigi Pirandello.
S. 171 : Reproduktion des Manuskripts von *'A patenti* von Luigi Pirandello.
S. 172 : Francesco Macaluso, Santi Savarino, Antonino Russo Giusti, Alfio Berretta.
S. 173 : Gaetano Cristaldi Gambino, Saverio Fiducia.
S. 174 : Francesco De Felice, Ottavio Profeta, Vanni Pucci, Pietro Rampolla del Tindaro.
S. 175 : Francesco Lanza, Gesualdo Manzella Frontini.
S. 176 : Giovanni Formisano, Giuseppe Patanè.
S. 177 : Enrico Serretta, Vito Mar Nicolosi.
S. 178-179: Reproduktion des Autographs von Luigi Pirandello von *Cappiddazzu paga tuttu* von Pirandello und Martoglio.
S. 180-181: Reproduktion des Autographs von Nino Martoglio von *'A vilanza* von Martoglio und Pirandello.
S. 182 : Luigi Pirandello und Nino Martoglio, *'A vilanza* und *Cappiddazzu paga tuttu*, Catania, Giannotta, 1922.
S. 183-184: Reproduktion des Autographs der Bearbeitung im sizilianischen Dialekt von Luigi Pirandello des *'U Ciclopu* von Euripide.
S. 185-186: Reproduktion des Manuskripts der Bearbeitung im sizilianischen Dialekt von Luigi Pirandello von *Glaucu* von Ercole Luigi Morselli.
S. 187-193: Theaterzettel der Vorstellungen der «Theatertruppe 'Mediterraneo'». Artistischer Ausschuß Nino Martoglio, Luigi Pirandello, Pier Maria Rosso di San Secondo.
S. 194 : Giovanni Grasso *jr.*
S. 194-195: Virginia Balistrieri.
S. 195 : Rocco Spadaro.
S. 196 : Luigi Rasi, Marco Praga.
S. 197 : Silvio d'Amico, Libero Bovio.
S. 198 : Renato Simoni, Sabatino Lopez.
S. 199 : Fausto Maria Martini, Alessandro Varaldo.
S. 200 : Antonio Gramsci, Piero Gobetti.

S. 201 : Guglielmo Policastro, Nino Zuccarello, Luca Pignato.
S. 202 : Luigi Pirandello, *Dialettalità*, «Cronache d'attualità», Mailand, August-September 1921.
S. 203 : Reproduktion des Manuskripts von *Ccu i nguanti gialli* von Luigi Pirandello (letzter im Dialekt geschriebene Text).
S. 204 : Nachricht des Todes von Nino Martoglio.
S. 205 : Nino Martoglio.
S. 206 : Reproduktion des Autographs des von Luigi Pirandello für Nino Martoglios Verscheiden geschriebenen Artikels, der in dem «Il Messaggero», Rom, den 18-19 September 1921 erschien.
S. 207 : Reproduktion des eigenhändigen Briefes von Luigi Pirandello an Vera Vergani. Rom, den 22. September 1921.
S. 208 : Luigi Pirandellos letzte Lebenszeit.
S. 209 : Luigi Pirandello.
S. 210 : Luigi Pirandello (in der zweiten Reihe) nimmt an einer Tagung der Accademia d'Italia teil.
S. 211 : Luigi Pirandello vor dem Tempel der Einigkeit in Agrigento (1927).
S. 212-213: Luigi Pirandello mit Cele und Marta Abba und anderen Freunden vor dem Junotempel in Agrigento (1927).
S. 214 : Luigi Pirandello mit Gennaro Righelli und Angelo Musco auf der Bühne von *Pensaci, Giacomino!*
S. 215 : Luigi Pirandello auf dem sizilianischen Land.
S. 216 : Bilder von Pirandello.
S. 217 : Luigi Pirandello spielt Boccia.
S. 218 : Luigi Pirandello mit dem Sohn Stefano, der Schwiegertochter Olinda und den Enkeln in seinem Arbeitszimmer.
S. 219 : Luigi Pirandello in Viareggio.
S. 220-221: Letzte Bilder von Luigi Pirandello.
S. 222 : Reproduktion der eigenhändigen Abschrift von Ugo Ojetti aus *Meinen letzten Willen zu achten* von Luigi Pirandello (10. Dezember 1936).
S. 223 : Luigi Pirandello in der letzten Zeit seines Lebens.
S. 224 : Der von dem Bilhauer augesuchte «grobe Stein», wo die Aschenurne mit den Aschen Pirandellos auf dem «Land von Girgenti» am Fuß einer Pinie, eingemauert wurde.
S. 225 : Nachricht des Todes Luigi Pirandellos.
S. 227 : ... aber seine Gestalten leben weiter.
S. 228-231: Turi Ferro in «Liolà» und «Ciampa» in zwei Aufführungen des von Mario Giusti geleiteten Teatro Stabile zu Catania.

INDICE DEI NOMI E DELLE OPERE

INDICE GENERALE

Finito di stampare nel Giugno 1986
presso Idonea Giovanni Litografo
per conto di Giuseppe Maimone Editore
Catania
Printed in Italy